L211

Le temps de vivre

The Open University

1

Envol

Upper intermediate French

This publication forms part of an Open University course L211 *Envol*: upper intermediate French. Details of this and other Open University courses can be obtained from the Student Registration and Enquiry Service, The Open University, PO Box 197, Milton Keynes MK7 6BJ, United Kingdom: tel. +44 (0)845 300 60 90, email general-enquiries@open.ac.uk

Alternatively, you may visit the Open University website at www.open.ac.uk where you can learn more about the wide range of courses and packs offered at all levels by The Open University.

To purchase a selection of Open University course materials visit www.ouw.co.uk, or contact Open University Worldwide, Walton Hall, Milton Keynes MK7 6AA, United Kingdom for a brochure.
tel. +44 (0)1908 858793; fax +44 (0)1908 858787;
email ouw-customer-services@open.ac.uk

The Open University
Walton Hall, Milton Keynes
MK7 6AA

First published 2009.

Edited and designed by The Open University.

Typeset by The Open University.

Printed and bound in the United Kingdom by Latimer Trend & Company Ltd, Plymouth.

ISBN 978 0 7492 1744 0

1.1

FSC
Mixed Sources
Product group from well-managed forests and other controlled sources
Cert no. SGS-COC-005493
www.fsc.org
© 1996 Forest Stewardship Council

The paper used in this publication contains pulp sourced from forests independently certified to the Forest Stewardship Council (FSC) principles and criteria. Chain of custody certification allows the pulp from these forests to be tracked to the end use (see www.fsc.org).

Table des matières

L211 Course team

Central course team

Sue Brennan (course team secretary)

Xavière Hassan (author, coordinator, co-chair)

Marie-Noëlle Lamy (author, coordinator)

Tim Lewis (author, coordinator, co-chair)

Françoise Parent-Ugochukwu (author)

Hélène Pulker (author, coordinator)

Shirley Scripps (course manager)

Élodie Vialleton (author, coordinator)

Lydia White (course team secretary)

Course production team

Mandy Anton (graphic designer)

Guy Barrett (interactive media developer)

Catherine Bedford (editor)

Ann Carter (print buying controller)

Heather Clarke (graphic artist)

Lene Connolly (print buying controller)

Sue Dobson (graphic artist)

Beccy Dresden (media project manager)

Vee Fallon (media assistant)

Elaine Haviland (editor)

Neil Mitchell (graphic designer)

Liz Rabone (editor)

Sam Thorne (editor)

Nicola Tolcher (media assistant)

Critical reader (Unit 1)

Bill Alder

External assessor

Nicole McBride (London Metropolitan University)

Audio-visual production

Audio and video sequences produced by Autonomy Multimedia and Mediadrome for Learning and Teaching Solutions (Open University).

Original L211 audio and video sequences compiled and produced by the BBC.

Special thanks

The course team would like to thank everyone who contributed to the course by being filmed or recorded, or by providing photographs.

The course team would also like to acknowledge the authors and consultant authors of the first edition of L211: Bernard Haezewindt, Stella Hurd, Marie-Noëlle Lamy, Hélène Mulphin, Jenny Ollerenshaw, Duncan Sidwell, Pete Smith, Anne Stevens, Peregrine Stevenson (authors); Martyn Bird, Marie-Thérèse Bougard, Chloë Gallien, Marie-Marthe Gervais-Le Garff, Christie Price, Peter Read, Yvan Tardy (consultant authors).

Le temps de vivre

La première unité de ce cours est consacrée à une notion centrale dans la vie de chacun : le temps. Quel temps consacre-t-on au travail ? Comment conjuguer vie personnelle et vie professionnelle ? À quoi occupe-t-on son temps libre ? Quels sont les changements possibles lorsque l'on n'est plus tout à fait satisfait de son rythme de vie ? Et que font les Français pour se sentir bien dans leur peau, c'est-à-dire bien dans leur vie ? Autant de questions auxquelles vous allez être amenés à réfléchir à partir de documents qui présentent quelques spécificités culturelles françaises autour de ce thème.

Sommaire

Le tableau ci-dessous présente la structure des sessions qui composent ce livre. La colonne de gauche indique le contenu thématique et la colonne de droite énumère les points clés de chaque session.

Unité 1 Le temps de vivre	
Session 1 Rythmes de vie	
La course contre le temps Technologie et flexibilité au travail L'ouverture des magasins le dimanche	• L'expression de la fréquence • La réduction du temps de travail • Le sens propre et le sens figuré • Organiser ses notes personnelles • Faire un remue-méninges
Session 2 Le temps libre	
Culture et loisirs Les vacances d'été La qualité de la vie	• Exprimer la durée : « ça fait ... que, il y a ... que, depuis ... (que) » • Exprimer la proportion • Décrire des statistiques • Parler des jours de congé • Organiser ses notes de grammaire
Session 3 Changer de vie	
Les nouvelles tribus Changer de métier Les néoruraux	• Le passé composé et l'imparfait • Les nouvelles tribus • Le chanteur Renaud • Le baccalauréat et les années d'études en enseignement supérieur • Le dossier de candidature
Session 4 Bien dans sa peau	
La thalassothérapie La marche Nature, santé, plaisir dans nos assiettes	• Donner des conseils et faire des propositions • Les mots d'origine étrangère dans la langue française • Les préfixes • Les suffixes • Proverbes et dictons • Exprimer les sensations • Convaincre et persuader
Session 5 Révision	

Session 1 Rythmes de vie

La frontière entre la vie familiale et la vie professionnelle devient de plus en plus floue. Accroissement de la flexibilité et changements de mode de vie nous aident-ils vraiment dans notre vie quotidienne ? Depuis le début du XXIe siècle, après la promulgation par le gouvernement socialiste d'une loi pour réduire le temps de travail, le rythme de vie des Français a beaucoup changé – mais la vie s'est-elle améliorée ? Même si elle est contestée politiquement, la réduction du temps de travail restera sans doute un tournant important dans la vie de la société française, parce qu'elle a marqué son entrée dans une société des loisirs, et qu'il sera difficile de revenir sur le changement d'attitudes qu'elle a engendré.

Points clés

- G1.1 L'expression de la fréquence
- C1.1 La réduction du temps de travail
- O1.1 Le sens propre et le sens figuré
- S1.1 Organiser ses notes personnelles
- S1.2 Faire un remue-méninges

La course contre le temps

Dans les activités suivantes vous allez d'abord effectuer un travail préparatoire afin de réfléchir sur les rythmes de vie contemporains, puis vous allez lire un texte qui parle de la course contre le temps en France, ce qui va vous permettre de mieux comprendre les rythmes de vie des Français du XXIe siècle.

Activité 1.1.1

A

Regardez les images 1 à 4 et faites une liste de mots et d'expressions pour parler de ce que vous voyez. Pensez en particulier aux thèmes de la flexibilité et du stress.

1

2

3

4

Flexibilité	Stress

B

Inventez la légende qui convient pour chacune des images ci-dessus.

S1.1 Organiser ses notes personnelles

Tout au long de ce cours, il vous sera utile de prendre des notes personnelles sur les points étudiés, en particulier sur les points clés de chaque session, et aussi sur les points que vous souhaitez réviser.

Pour ces notes, vous pouvez adopter le système qui vous convient le mieux : un dossier pour prendre des notes manuscrites, des fichiers informatiques, ou peut-être un mélange des deux. Ce qui est important, c'est de les organiser de manière à pouvoir vous y référer facilement et trouver rapidement ce dont vous avez besoin. Il est bon de créer un système souple, car vous voudrez peut-être le modifier ou l'adapter plus tard, par exemple pour ajouter des catégories. En voici quelques exemples : « structures grammaticales », « vocabulaire important », « expressions utiles pour les présentations orales », etc.

Des sous-catégories vous aideront à classer vos notes : par exemple, pour « structures grammaticales », vous pouvez créer une sous-catégorie sur le temps des verbes ou une autre sur les adverbes. Vous pouvez classer votre vocabulaire en fonction de sa nature (noms, adjectifs, verbes, etc.) ou de son thème (vocabulaire utile pour le Livre 1, vocabulaire sur les loisirs, etc.).

Si vous prenez régulièrement des notes en travaillant, vous en aurez rapidement une grande quantité ; il est donc aussi important de faire en sorte qu'elles soient concises et claires, pour qu'elles soient vraiment utilisables pendant vos révisions.

Activité 1.1.2

A

Lisez l'extrait du texte intitulé « La course contre le temps » et cochez la définition qui correspond à l'expression « les 35 heures ».

> Les Français ne sont jamais contents. Leur semaine de travail vient tout juste de fondre à 35 heures, et ils râlent déjà. [...] Le travail et les contraintes quotidiennes envahissent leur vie, déplorent près de la moitié d'entre eux.

1 Le nombre d'heures pendant lesquelles les Français sont mécontents, chaque mois. ☐

2 Le nombre d'heures consacrées aux tâches quotidiennes. ☐

3 Le nombre d'heures de travail par semaine en France. ☐

B

Faites correspondre les expressions ci-dessous aux bonnes définitions.

1 sans dire ouf	(a) sur le point de
2 en passe de	(b) passer très vite d'une activité à une autre
3 à ras bord	(c) traiter tous ses emails
4 zapper	(d) avoir trop de choses à faire
5 écluser sa correspondance électronique	(e) sans pouvoir faire de pause pour respirer
6 ne savoir où donner de la tête	(f) complètement, pleinement

C

Lisez maintenant le texte en entier et classez les expressions sélectionnées (1 à 10), selon qu'elles correspondent à l'idée de vitesse ou à l'idée de lenteur.

La course contre le temps

Les Français ne sont jamais contents. Leur semaine de travail vient tout juste de fondre à 35 heures, et ils râlent déjà. [...] Le travail et les contraintes quotidiennes envahissent leur vie, déplorent près de la moitié d'entre eux[(1)]. [...]

C'est la maladie des temps modernes : la vie ressemble à une course contre la montre. Du lever au coucher, nous enchaînons sans dire ouf métro, boulot, réunions, dossiers, mémos, conférences téléphoniques et rendez-vous. Et puis, il y a les enfants à emmener à l'école, les courses à faire et les problèmes administratifs à régler. Plus, si possible, une séance de gym ou de ciné et un dîner entre copains. Au bout du compte, les vingt-quatre heures de la journée nous paraissent désespérément trop courtes. Moyennant quoi, on passe moins de temps au lit. [...]

Bref, nous voilà tous en passe de devenir des personnalités de « type A ». [...] Signes distinctifs : l'hyperactivité, le sentiment d'urgence, une nette tendance à remplir son agenda à ras bord, à dépenser son énergie sans compter et à s'énerver contre les traînards et les rêveurs. [...]

Malgré la réduction du temps de travail, le boulot occupe plus de place qu'il y a cinquante ans dans la vie des couples. [...] Les 35 heures ne sont pas forcément synonymes de semaine de travail allégée. Pour beaucoup de cadres, c'est même le contraire. [...]

Tant pis pour l'anticipation et la réflexion, pour la créativité et la communication.

Pour les individus comme pour les entreprises, le temps, plus que jamais, c'est de l'argent. On veut les lunettes et les photos des vacances en soixante minutes chrono, la pizza livrée à domicile en une demi-heure et le petit pull marin ou le dernier Goncourt commandés via Internet en vingt-quatre heures. […]

L'impatience nous grignote. Les queues aux caisses, les plats qui ne viennent pas au restaurant et les bus qui lambinent nous mettent hors de nous. […]

Les outils de communication dont nous sommes bardés – téléphone mobile, mail, agenda électronique, ordinateur portable – ne nous font pas la vie plus facile. […] Nous nous laissons submerger par une déferlante quotidienne d'informations et de messages. Du coup, nous zappons. Entre deux tâches. Entre deux interlocuteurs. Entre deux pseudo-urgences. […]

À la maison, on pourrait lever le pied. Débrancher. Mais non. Il y a toujours le dossier à boucler sur le portable, l'appel d'un collègue sur le mobile, la correspondance électronique à écluser. La frontière entre boulot et vie personnelle est devenue une vraie passoire. Et la course au temps continue. Jamais nous n'avons été si occupés. Jamais non plus nous n'avons été pareillement sollicités. […] Spectacles, cinéma, sport, voyages, nouveaux produits, nouvelles modes : nous ne savons plus où donner de la tête et du portefeuille. […]

Seule issue : il faut apprendre à maîtriser le temps. Reprendre la main. […]

Parfois, il est salutaire de mettre les pouces. De dire stop. De se déconnecter. Au sens propre comme au sens figuré.

(1) Sondage Observatoire Thalys/Ipsos 2001.

(Anne Vidali, « La course contre le temps », *L'Express*, no.2642, 21–27 février 2002)

Vocabulaire

des personnalités (f.pl.) de « type A » un type de caractère psychologique (selon les Drs Friedman et Rosenman, qui en distinguent trois)

nous mettent hors de nous nous mettent en colère

mail (m.) messagerie électronique, ou email (mot franglais critiqué, parfois francisé en « mèl » ou en « courriel »)

lever le pied (fam.) ralentir (vient de l'image de l'accélérateur automobile)

mettre les pouces (fam.) faire une pause (expression d'écolier pour demander un arrêt momentané du jeu)

Note culturelle

le prix Goncourt Ce prix littéraire a été créé en 1903. Il est attribué chaque année par l'Académie Goncourt à un ouvrage d'imagination en prose, de langue française, paru dans l'année. Pour être à la mode, il faut avoir lu le dernier prix Goncourt, ou du moins connaître le nom du lauréat !

1 la vie ressemble à une course contre la montre
2 s'énerver contre les traînards et les rêveurs
3 les photos de vacances en soixante minutes chrono
4 les queues aux caisses
5 les plats qui ne viennent pas au restaurant
6 les bus qui lambinent nous mettent hors de nous
7 nous nous laissons submerger par une déferlante quotidienne d'informations

8 du coup, nous zappons ... entre deux pseudo-urgences

9 à la maison, on pourrait lever le pied

10 et la course au temps continue

D

Cochez les cases selon que les déclarations ci-dessous sont vraies ou fausses, selon le texte. Pour les déclarations qui sont fausses, notez les mots du texte qui contiennent l'information correcte.

		Vrai	Faux
1	Les Français ont l'impression d'avoir gagné du temps depuis la loi des 35 heures.	☐	☐
2	Les Français ont envie d'avoir une vie sociale bien remplie.	☐	☐
3	Les Français dorment plus qu'avant.	☐	☐
4	Les Français travaillent plus qu'avant.	☐	☐
5	Grâce aux 35 heures, les semaines sont moins chargées.	☐	☐
6	Les services rapides sont largement utilisés en France.	☐	☐
7	Les Français sont de plus en plus patients.	☐	☐
8	Meilleure communication n'est pas synonyme de meilleure vie.	☐	☐
9	Les Français trouvent qu'il est très facile de faire la séparation entre vie privée et vie professionnelle.	☐	☐
10	Les Français sont plus tentés d'acheter qu'avant.	☐	☐

C1.1 La réduction du temps de travail

C'est en 1814 que la première réduction du temps de travail (ou RTT) a eu lieu, grâce à une loi qui a supprimé le travail le dimanche et les jours de fêtes catholiques. Le repos dominical devient obligatoire en 1892. À partir de 1848, la journée de travail ne pouvait plus dépasser dix ou onze heures, puis huit heures en 1919, avec un maximum de 48 heures par semaine qui est tombé à 40 heures en 1936. L'année 1936 a été primordiale car elle a vu l'instauration des premiers congés payés (douze jours), une véritable révolution sociale. Ce nombre de jours n'a cessé d'augmenter.

Le grand tournant suivant a eu lieu en 2000, année d'application de la loi qui a fixé la durée de la semaine de travail à 35 heures. En pratique, les employés travaillent plus de 35 heures par semaine, car ces 35 heures correspondent à une moyenne annuelle. Dans la plupart des cas, les salariés continuent à travailler le même nombre d'heures hebdomadaire, mais obtiennent des jours de congés supplémentaires en compensation (jours de congés parfois eux-mêmes appelés « RTT »). Concrètement, les Français ont donc un rythme de travail plus flexible qu'avant, et ils ont vu une augmentation de leurs jours de congés annuels.

Ce changement sociologique est aussi important que le changement politique qui l'a entraîné. Les Français sont pourtant loin d'être unanimes sur la question des 35 heures, et le débat politique n'est pas clos. Il est fort possible que le temps de travail soit à nouveau modifié à la suite de changements de gouvernement.

Activité 1.1.3

A

Remplissez le tableau ci-dessous avec le mot ou l'expression de fréquence qui convient. Consultez un dictionnaire si nécessaire.

Nom	Adjectif correspondant	Expression de fréquence
année	annuel	
	mensuel	
	hebdomadaire	
jour		quotidiennement/ tous les jours
heure		
semestre		
	bihebdomadaire	une fois par quinzaine/ une fois toutes les deux semaines
trimestre		quatre fois par an

B

Relisez le texte « La course contre le temps » et complétez les expressions du tableau en choisissant dans l'encadré ci-dessous le verbe qui est utilisé dans le texte.

écluser • emmener à l'école • boucler • régler

Avoir + quelque chose...	... à + infinitif
avoir les courses	à faire
avoir les enfants	
avoir des problèmes administratifs	
avoir la correspondance électronique	
avoir un dossier	

C

À quelle fréquence faites-vous les activités ci-dessous ? Répondez en utilisant les expressions de l'étape A.

1 avoir le ménage à faire

2 avoir du courrier administratif à écrire

3 avoir les vacances à réserver

4 avoir un roman passionnant à finir

5 avoir un repas à préparer pour des amis

G1.1 L'expression de la fréquence

1 Les adjectifs du tableau de l'activité 1.1.3 permettent d'exprimer la fréquence, par exemple une fréquence de publication ou de paiement :

un journal **quotidien**

un magazine **bimensuel**

un salaire **mensuel**

2 On peut aussi l'exprimer à partir de noms, en utilisant :

(a) « tous/toutes + les (+ chiffre) + nom »

un journal publié **tous les jours**

un magazine qui paraît **toutes les deux semaines**

un salaire versé **tous les mois**

(b) « chiffre + fois par + nom »

une tâche à faire **deux fois par semaine**

3 On peut bien sûr aussi exprimer la fréquence à partir d'adverbes tels que « toujours, fréquemment, souvent, parfois, occasionnellement, rarement, jamais », etc.

Activité 1.1.4

Parmi les phrases suivantes choisissez celle à laquelle vous pouvez le mieux vous identifier et expliquez pourquoi en 100 mots.

1 J'ai l'impression d'avoir de moins en moins de temps.

2 J'ai une vie sociale bien remplie.

3 J'utilise beaucoup les services rapides qui me font gagner du temps.

4 Je suis de plus en plus impatient(e) dans les files d'attente au supermarché.

5 J'ai de plus en plus de mal à trouver un bon équilibre entre ma vie privée et ma vie professionnelle.

6 Ma vie est bien équilibrée.

7 Ma vie ressemble à une course contre la montre.

Maintenant, vous allez vous concentrer sur un aspect lexical du texte, ce qui vous permettra de découvrir quelques expressions imagées.

Activité 1.1.5

A

Dans les phrases suivantes, les mots en gras sont utilisés au sens figuré. Si vous les cherchez dans un dictionnaire, vous trouverez plusieurs traductions possibles, mais seul le sens figuré convient dans notre contexte. Nous vous proposons ci-dessous deux traductions de chaque mot. Identifiez celle qui correspond au contexte.

Exemple

L'impatience nous **grignote**. (*nibble/gnaw*) → *gnaw*

1 La semaine de travail vient de **fondre** à 35 heures. *(melt/drop)*

2 Nous **enchaînons** métro, boulot, et réunions. (*chain up/carry on with*)

3 Nous faisons face à **une déferlante** quotidienne de messages. *(a flood/a breaker)*

4 À la maison, on pourrait **débrancher**. *(wind down/unplug)*

5 Il est salutaire de **se déconnecter**. *(have a break/disconnect)*

B

Maintenant écrivez une phrase avec chaque mot utilisé dans son sens propre.

Exemple

grignoter → *Je grignote souvent un biscuit avec mon café.*

1 fondre

2 enchaîner

3 une déferlante

4 débrancher

5 (se) déconnecter

O1.1 Le sens propre et le sens figuré

Comment distingue-t-on le sens propre du sens figuré ? Chaque mot a une histoire au cours de laquelle il s'est enrichi de sens différents. Parmi tous ces sens, le sens propre d'un mot ou d'une expression est son sens premier, généralement concret, alors que le sens figuré est son sens dérivé, symbolique, généralement abstrait.

Par exemple, l'adjectif « salé » au sens propre signifie « qui contient du sel », comme dans « un plat salé », mais au sens figuré il signifie « excessif », comme dans « une note salée » qui veut dire une facture trop élevée. Le mot « pain » fournit un autre exemple : au sens propre il fait référence à ce que fabrique un boulanger, mais symboliquement il désigne la nourriture en général, et par extension la subsistance, la vie. Ainsi un « gagne-pain » c'est ce qui permet de gagner son pain, sa vie, c'est-à-dire un travail.

Parfois le sens figuré de mots ou d'expressions se lexicalise, c'est-à-dire qu'il devient si commun qu'il devient lui-même un sens propre. L'étymologie du mot « salaire » en donne un exemple : à l'origine, le mot salaire (du latin *salarium*) désignait une ration de sel, puis par extension une somme d'argent payée aux soldats pour qu'ils puissent acheter leur ration de sel. Ce sens dérivé est maintenant le sens premier du mot salaire : la rémunération d'un travail.

À son tour le mot salaire fait partie d'expressions imagées dans lesquelles il a un sens figuré. Par exemple « toute peine mérite salaire » veut dire que tout travail doit être payé, ou par extension que tout effort doit être récompensé.

Quand on cherche la traduction d'un mot dans un dictionnaire, il faut faire la différence entre sens propre et sens figuré, et choisir le sens qui convient au contexte. Les dictionnaires bilingues donnent des indications sur le contexte des traductions possibles, souvent entre parenthèses, devant ou après le sens qui y correspond.

Activité 1.1.6

Associez les expressions imagées suivantes, toutes associées au thème du travail, à leur signification. Utilisez un dictionnaire si c'est nécessaire.

1 avoir un poil dans la main	(a) appel pour mettre tous les travailleurs à contribution
2 être en flux tendu	(b) entreprendre une tâche
3 tout le monde sur le pont !	(c) être paresseux
4 avoir la tête dans le guidon	(d) fournir un gros effort momentané
5 mettre un ouvrage sur le métier	(e) produire son travail à la dernière minute
6 donner un coup de collier	(f) se concentrer sur son travail et ignorer tout le reste

Activité 1.1.7

Votre ami(e) vient de subir un stress important à cause de son travail. Cette situation a des répercussions sur sa vie privée. Écrivez une lettre d'environ 150 mots au courrier des lecteurs du magazine *L'Express* pour témoigner.

Décrivez d'abord la situation de votre ami(e), puis donnez votre opinion générale sur le sujet de l'article « La course contre le temps » que vous avez lu antérieurement : selon vous, la course contre le temps est-elle un effet normal de l'évolution de la société auquel il faut s'adapter, ou est-ce un abus contre lequel il faut lutter ? Nous avons commencé la lettre pour vous.

> *Madame, Monsieur,*
>
> *J'ai lu votre article intitulé « La course contre le temps » avec intérêt, et je souhaite apporter un témoignage sur le sujet. Mon ami(e)...*

Technologie et flexibilité au travail

Dans les activités qui suivent vous allez aborder le thème des nouvelles technologies et de leur impact sur la vie professionnelle, par exemple le travail pour un employeur, mais pratiqué à domicile (ou télétravail). Ce sera pour vous l'occasion d'apprendre à organiser vos idées afin de préparer une argumentation.

Activité 1.1.8

A

Lisez le texte suivant et, dans le premier paragraphe, relevez quatre effets positifs des nouvelles technologies sur la façon de travailler d'aujourd'hui.

La technologie engendre de nouvelles façons de travailler

L'usage des outils de communication électroniques bouleverse les modes de travail. L'ordinateur s'est généralisé sur les postes de travail. Il permet une amélioration de la productivité en facilitant l'accès aux informations et à leur manipulation. Il remplace de nombreuses tâches autrefois effectuées sur papier. Surtout, il favorise le travail en réseau et l'interactivité au sein de l'entreprise. Par ailleurs, la portabilité des outils de travail et de communication a modifié les usages professionnels, avec une réduction des temps morts pour les salariés « nomades ». D'une manière générale, la distinction entre la vie professionnelle, familiale, personnelle a été transformée, dans le sens d'un mélange des genres qui est censé profiter à chacun d'eux, avec les réserves liées à la confusion et au stress qui peuvent en résulter.

L'un des usages logiques de cette évolution est le développement du télétravail, pratiqué à l'extérieur de l'entreprise et notamment au domicile. Ce dernier est le plus souvent partiel, et concerne déjà près de 10% des actifs. Il touche en majorité les femmes et s'applique en particulier à des secteurs comme la banque, l'assurance, la traduction, le secrétariat, le journalisme ou l'architecture, sans oublier les métiers de la communication et Internet. Il donne au salarié une meilleure maîtrise de la gestion de son temps et constitue pour l'entreprise un moyen de lutter contre l'absentéisme. Il autorise aussi le choix d'un lieu d'habitation plus éloigné de l'employeur et éventuellement plus agréable et moins cher, et constitue l'un des facteurs de développement du mouvement de néoruralité.

(Gérard Mermet, *Francoscopie 2007*, pp.288–289)

Vocabulaire

des temps morts temps perdu (par exemple dans les transports)

néoruralité (f.) migration récente de populations urbaines vers la campagne

B

Listez les avantages du télétravail selon le texte et d'autres avantages selon ce que vous pouvez imaginer. Imaginez aussi des inconvénients et faites-en une liste.

Avantages	Inconvénients

C

Pourquoi le texte décrit-il le nouveau mode de travail comme un « mélange des genres » ? Pensez-vous que la flexibilité offerte par le télétravail est un danger ? Donnez votre opinion en deux ou trois phrases.

S1.2 Faire un remue-méninges

Faire un remue-méninges (littéralement « remuer ses méninges » ou activer son cerveau !), c'est réfléchir à toutes les idées et au vocabulaire utile autour d'un thème donné. Pour cela, vous pouvez utiliser plusieurs techniques, par exemple :

1 une simple liste : vous notez les mots qui vous viennent à l'esprit les uns au dessous des autres, dans l'ordre dans lequel vous y pensez.

La réduction du temps de travail

horaires, 35 heures, travail réduit, chômage réduit, coût pour les entreprises, hebdomadaire, annuel, flexibilité, repos, loisirs, congés, vacances, compensation, social, politique, organisation du temps, course au temps, conflits, stress...

2 un tableau : si vous souhaitez organiser vos idées selon un axe prédéfini, par exemple selon des critères imposés par la consigne d'une activité, vous pouvez utiliser un tableau comparatif.

Avantages	*Inconvénients*
travail réduit	*coût pour les entreprises*
chômage réduit	*course au temps*
flexibilité	*conflits*
repos	*stress*
loisirs	
congés	
vacances	

3 une carte conceptuelle, ou fleur lexicale : cette représentation graphique vous aide à classer les mots en fonction de plusieurs thèmes.

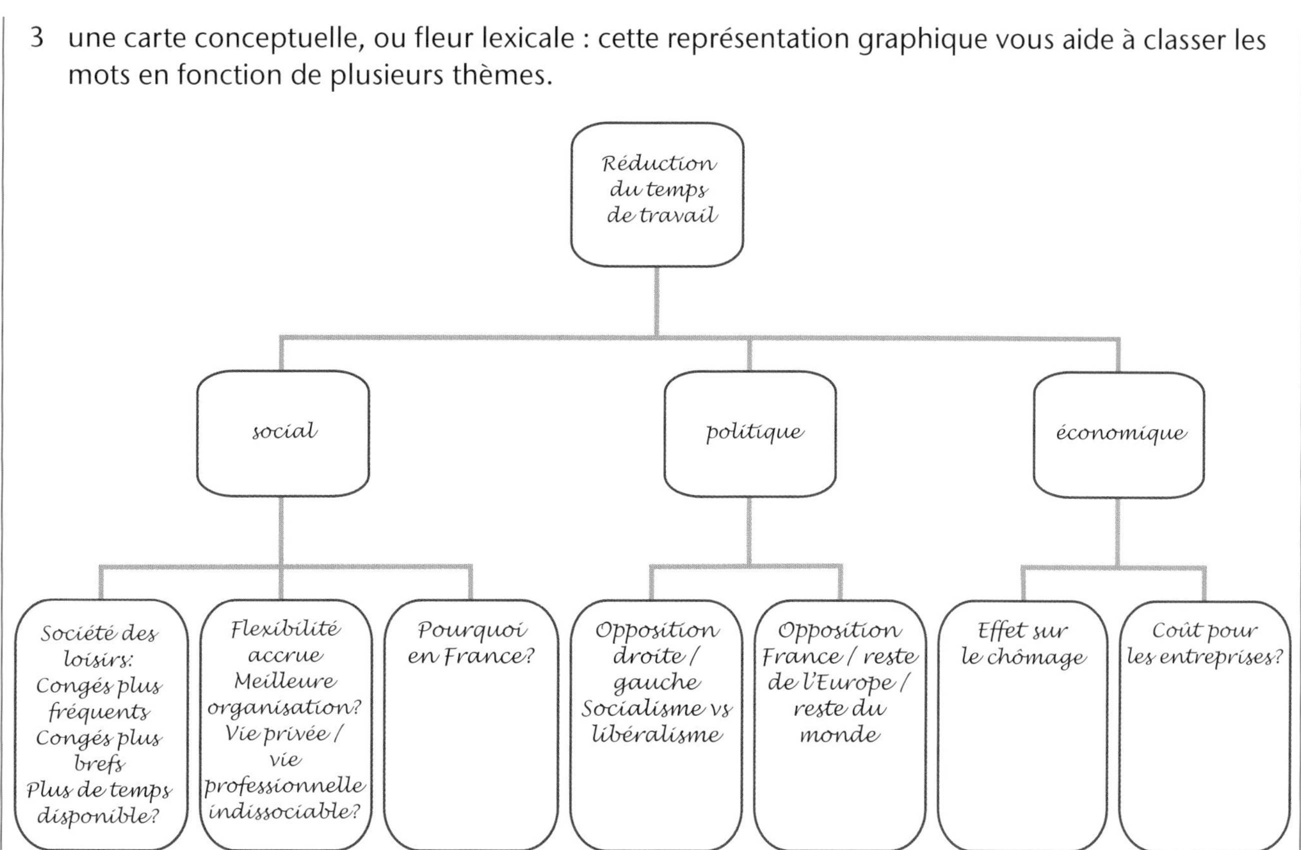

Activité 1.1.9

A

Faites un remue-méninges sur le thème du télétravail, en dessinant une carte conceptuelle.

B

Vous êtes télétravailleur ou télétravailleuse. Expliquez en 100 à 150 mots comment le télétravail vous a aidé à mieux concilier vie privée et vie professionnelle.

Activité 1.1.10

Écrivez une lettre à un(e) ami(e) en 200 mots maximum, dans laquelle vous lui expliquez que vous venez de commencer un nouveau travail très prenant, mais que vous avez la chance de pouvoir travailler à la maison la plupart du temps. Dans votre lettre vous suivrez le plan suivant :

1 expliquez ce que vous faites et en quoi consiste votre travail ;

2 décrivez comment vous vous organisez entre votre travail et votre famille ;

3 présentez les avantages et les inconvénients du travail à domicile.

L'ouverture des magasins le dimanche

Dans les activités suivantes, vous allez vous interroger sur l'ouverture des magasins le dimanche et sur sa conséquence sur le rythme de vie des Français. Flexibilité pour les consommateurs ou exploitation des travailleurs ? Vous aurez l'occasion de donner votre avis sur la question.

Activité 1.1.11

A

Lisez ce texte et cochez les cases selon que les affirmations ci-dessous sont vraies ou fausses, d'après le texte.

« On va vers une déréglementation de la vie des gens »

INTERVIEW Alors que les syndicats ont lancé un appel à la grève pour les salariés des grands magasins parisiens à l'ouverture de la période des soldes, Akka Ghazi, responsable du secteur commerce à la CGT, répond aux questions de « Libération.fr »

La grève a-t-elle été suivie ce mercredi et quelles en étaient les revendications majeures ?

L'appel à la grève lancé dans les grands magasins parisiens ne va probablement pas être très suivi par les syndicats.

L'objectif essentiel de cet appel à la grève était d'attirer l'attention publique et celle de la presse sur les conditions de travail des salariés du commerce. Les conditions de travail des salariés se dégradent non seulement du point de vue des horaires mais également des salaires. Les horaires sont une contrainte pour les employés puisqu'il faut savoir que plus de 80% des syndiqués vivent en dehors de Paris. Tout d'abord, cette situation les fait rentrer très tard chez eux et engendre une détérioration de la vie familiale. Cette flexibilité d'horaires étant devenue un fait accompli, elle entraîne une annulation des majorations de salaire et cela devient un phénomène normal.

Cette flexibilité d'horaires a-t-elle un impact dans d'autres secteurs ?

La flexibilité accrue des horaires et des jours de travail, comme le dimanche, s'étend à d'autres secteurs puisque l'ouverture des magasins le dimanche et le soir oblige les services bancaires, de sécurité, de nettoyage, de transport et même les crèches pour enfants à suivre obligatoirement ces conditions de travail. On rentre donc dans une déréglementation de la vie des gens en déstructurant le temps de travail et donc de vie. Cette déréglementation va donc contre les intérêts des salariés.

Mais ces changements d'horaires sont favorables aux consommateurs…

L'un des arguments choc des patrons est que ce sont les consommateurs qui souhaitent ces horaires. Mais je ne vois aucune revendication, manifestation des consommateurs. Le fait est que l'on dissocie les salariés des consommateurs. Il faut qu'ils se mettent à la place des salariés… Si on leur demandait de travailler le dimanche et le soir jusqu'à 22h, ils refuseraient certainement bien que je comprenne que ça puisse être un avantage et un bien pour eux. Les touristes sont également un autre argument choc. Les patrons appliquent, là, la technique du cheval de Troie. Des magasins comme Virgin ou encore la ZAC (zone d'activité commerciale) de Gonesse prétendent être des zones touristiques et ont donc reçu l'autorisation d'ouvrir chaque dimanche. Cela provoque des plaintes d'autres commerçants qui aimeraient bénéficier du même droit ou encore une distorsion de concurrence entre les commerçants.

(Nicolas Bérangère, « On va vers une déréglementation de la vie des gens », *Libération.fr*, 10 janvier 2007, http://www.liberation.fr/actualite/economie_terre/economie/227762.FR.php, dernier accès le 8 avril 2008)

Vocabulaire

la CGT la Confédération générale des travailleurs (une des cinq organisations syndicales nationales reconnues comme représentatives par l'État)

Gonesse ville de la région parisienne

	Vrai	Faux
1 L'accroissement de la flexibilité est un réel avantage pour les salariés.	☐	☐
2 Les salariés et les consommateurs ont les mêmes intérêts en ce qui concerne la flexibilité du travail.	☐	☐
3 L'ouverture des magasins le dimanche va à l'encontre du bon équilibre entre vie privée et vie professionnelle.	☐	☐
4 L'ouverture des magasins le dimanche permet d'attirer les touristes.	☐	☐
5 Les petits commerçants sont désavantagés par rapport aux grandes surfaces si les magasins sont ouverts le dimanche.	☐	☐

B

Lisez maintenant les commentaires laissés par des participants à un forum de discussion en ligne dans le cadre d'un débat sur l'ouverture des magasins le dimanche. Dites si les auteurs des messages sont pour ou contre l'ouverture des magasins le dimanche.

Mardi, 29 avril

La fermeture des magasins le dimanche a une conséquence importante : elle réduit les déplacements en voiture ce jour-là, et donc diminue la pollution. Je partage l'opinion des écologistes qui préconisent de ne pas autoriser l'ouverture le dimanche pour contribuer à la protection de l'environnement.

Posté par Léonie Jolie à 19.46 | Commentaires (3) | Rétroliens (0)

Le concept du repos dominical repose sur une vision chrétienne de la vie, qui n'est plus d'actualité. Je ne suis pas d'accord avec l'idée selon laquelle nous devons l'imposer à tous. Certains salariés qui pratiquent d'autres religions préfèreraient sûrement prendre un jour de congé différent qui corresponde au rythme de leur foi.

Posté par Viviana à 20.05 | Commentaires (2) | Rétroliens (1)

Les syndicats ont raison à mon sens de défendre la fermeture des magasins le dimanche. C'est l'un des devoirs de la société de s'occuper du bien-être de ses citoyens et donc de garantir au minimum un jour hebdomadaire de repos, le dimanche.

Posté par Martial Lesueur à 20.47 | Commentaires (1) | Rétroliens (1)

Je pense que l'État n'a pas à se mêler de ce genre de problème. Je suis contre ce type d'intervention dans la vie des gens. Si certains magasins veulent ouvrir le dimanche, et qu'ils veulent rémunérer leurs employés pour ça, à mon avis ils devraient être libres de le faire.

Posté par Pamplemousse à 21.20 | Commentaires (0) | Rétroliens (1)

Activité 1.1.12

À vous maintenant de participer à ce forum. Rédigez un court paragraphe sur ce que vous suggère le texte « On va vers une déréglementation de la vie des gens ». Écrivez environ 150 mots.

Session 2 Le temps libre

L'une des conséquences de la réduction du temps de travail et de l'introduction des horaires flexibles est que les Français disposent de plus grandes plages de temps libre. À quelles activités consacrent-ils ce temps libéré ? Le secteur des loisirs et de la culture en a-t-il bénéficié ? Ces changements ont-ils constitué une amélioration de la qualité de la vie, ou ont-ils été accompagnés de nouveaux motifs de stress ? Voilà certaines des questions auxquelles cette session vous propose de réfléchir.

Points clés

- G1.2 Exprimer la durée : « ça fait ... que, il y a ... que, depuis ... (que) »
- O1.2 Exprimer la proportion
- O1.3 Décrire des statistiques
- O1.4 Parler des jours de congé
- S1.3 Organiser ses notes de grammaire

Culture et loisirs

Les premières activités de cette session vont vous permettre de travailler sur le vocabulaire des loisirs, et d'apprendre comment les Français occupent leur temps libéré depuis la réduction du temps de travail, ou RTT.

Activité 1.2.1

Faites une liste des activités de loisirs représentées par les photos ci-dessous.

1

2

3

4

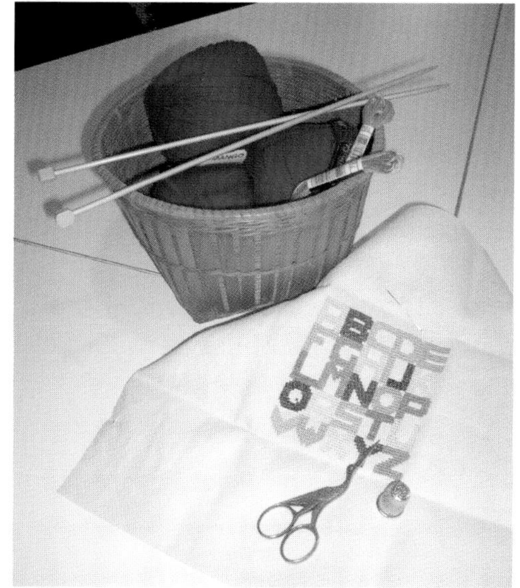

5

6

Dans l'activité suivante, vous allez lire des documents qui présentent des données chiffrées et des statistiques. Vous apprendrez ensuite des structures utiles pour les commenter ou les décrire.

Activité 1.2.2

A

Observez le tableau ci-dessous et faites la liste des activités qui se rapportent :

1 au repos ;

2 aux tâches domestiques ;

3 aux loisirs et aux distractions.

Ce que les Français font du temps libéré par la RTT

Se reposer, dormir	47%
S'occuper de sa famille, de ses enfants	45%
Bricoler, jardiner	41%
Recevoir des amis, de la famille	34%
Faire des courses	33%
Regarder la télévision	31%
Accomplir des tâches ménagères	27%
Sortir au cinéma, au restaurant, au spectacle	23%
Faire du sport	16%
Avoir des activités artistiques	11%
S'investir dans une association	10%

(« Culture, loisirs : l'offre explose... », *Hors Série Capital*, avril 2007, p.75)

B

Choisissez deux des cinq points suivants, trouvés dans le tableau, et donnez, en une ou deux phrases, votre réaction personnelle.

1 le temps accordé à se reposer et à dormir

2 le sommeil classé comme « activité »

3 la place accordée aux activités culturelles

4 la place accordée aux relations sociales

5 la place accordée aux activités associatives

Exemple

Je suis très étonné par le temps consacré au sommeil par les Français. Pourquoi sont-ils si fatigués ?

C

Lisez le texte suivant et répondez en 20 à 30 mots à chacune des deux questions ci-dessous.

« Culture, loisirs : l'offre explose, le budget que nous y consacrons, aussi »

Disposant en moyenne de 39 jours de congés payés par an (y compris les RTT), les salariés français sont les champions du monde du temps libre. 70% d'entre eux admettent d'ailleurs que c'est suffisant ! Cela explique l'extraordinaire essor du marché des loisirs dans notre pays depuis le début de la décennie. Presque un changement de société. Bricolage, jardinage, lecture, voyages touristiques, cinéma, télévision, vidéo à domicile, jeux sur console, sur Internet ou dans les casinos… Le budget que consacrent les ménages à toutes ces activités augmente de 4,5% à 6,5% chaque année, malgré la chute continue des prix des équipements numériques et des voyages d'agrément.

(« Culture, loisirs : l'offre explose… », *Hors Série Capital*, avril 2007, p.74)

1 Pourquoi la pratique des loisirs a-t-elle tant augmenté en France dans les dix dernières années ?

2 À quoi les Français dépensent-ils leur budget loisirs ?

D

Selon vous, les résultats du tableau sont-ils conformes aux idées exposées dans l'article ? Expliquez en une ou deux phrases.

Activité 1.2.3

A

Regardez les représentations graphiques 1 à 4 et associez-les aux désignations (a) à (d) qui les suivent.

1

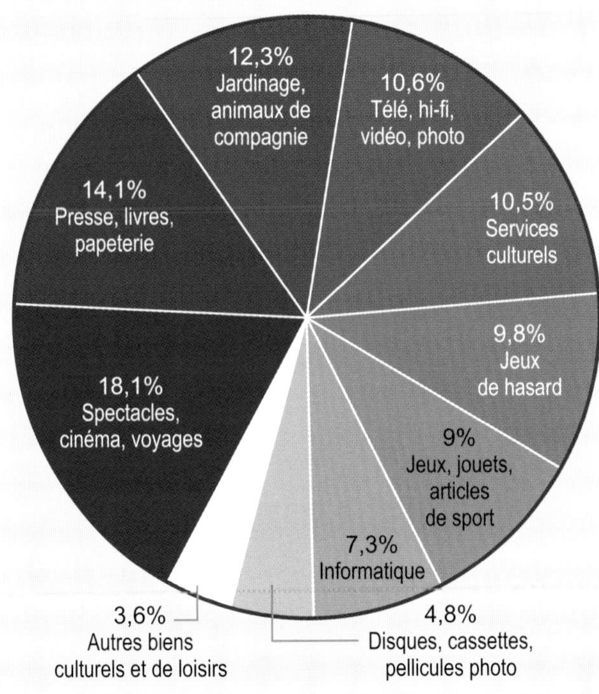

(« Culture, loisirs : l'offre explose… », *Hors Série Capital*, avril 2007, p.74)

2

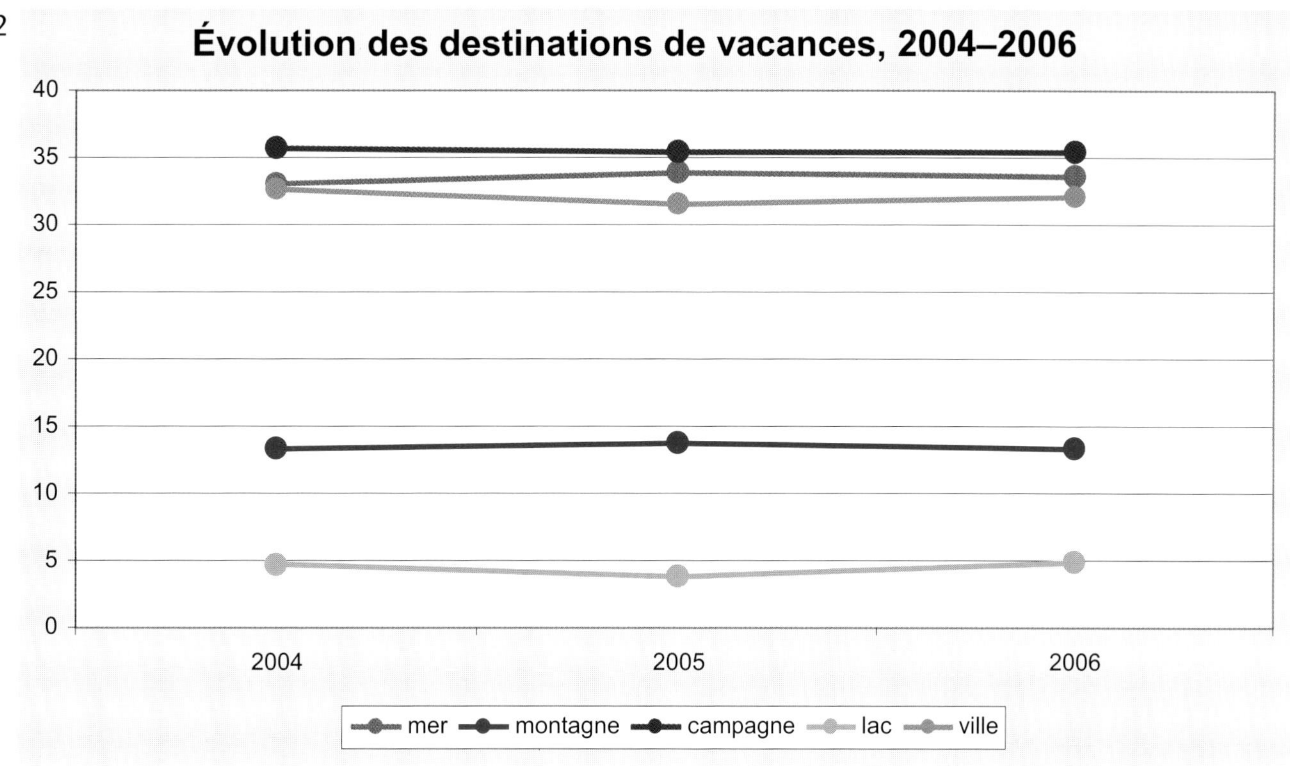

(Direction du tourisme, « Tourisme des Français, saison estivale 2006 », http://www.tourisme.gouv.fr/fr/z2/stat/tis/att00011646/tis2006_16bilanete2006bis.pdf, dernier accès le 18 avril 2008)

3

Deux Français sur trois partent en vacances

Catégorie sociale	Taux de départ*
Cadres et professions intellectuelles	90%
Professions intermédiaires	78%
Enfants, élèves, étudiants	73%
Artisans, commerçants, chefs d'entreprise	67%
Employés	63%
Retraités	53%
Ouvriers	48%
Agriculteurs	38%
Ensemble des Français	65%

*Chiffres 2004

(« Culture, loisirs : l'offre explose… », *Hors Série Capital*, avril 2007, p.76)

4

Vive le vélo… et la pétanque

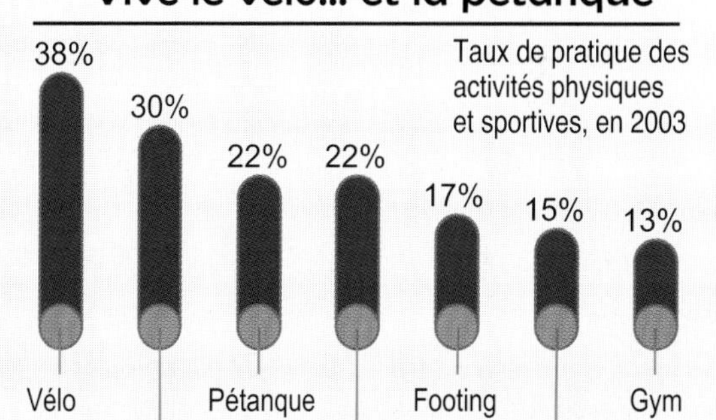

(« Culture, loisirs : l'offre explose… », *Hors Série Capital*, avril 2007, p.75)

(a) une courbe

(b) un tableau

(c) un camembert

(d) un histogramme

B

Lisez les phrases suivantes et dites si elles sont vraies ou fausses.

		Vrai	Faux
1	Les Français consacrent la moitié de leur budget loisirs aux voyages.	☐	☐
2	Trente-huit pour cent des Français pratiquent le cyclisme.	☐	☐
3	La majorité des Français partent en vacances à la montagne.	☐	☐
4	Presque la moitié des ouvriers partent en vacances chaque année.	☐	☐
5	Plus de Français sont partis à la campagne qu'à la mer en 2006.	☐	☐

O1.2 Exprimer la proportion

Voici des expressions utiles pour exprimer la proportion. On peut utiliser :

1 les fractions :

le quart, le tiers, la moitié, les deux-tiers, les trois-quarts, la totalité, etc.

le dixième, le centième, le millième, etc.

2 les approximations :

une majorité (faible/large/forte/écrasante), une minorité (petite/importante/non négligeable), une proportion (faible/forte), un pourcentage (faible/fort), une fraction, la quasi-totalité, la quasi-majorité, etc.

3 les pourcentages :

25% (vingt-cinq pour cent), 50% (cinquante pour cent), etc.

Ces fractions/approximations/pourcentages sont suivis de la préposition « de » (ou « du/de la/des ») quand l'entité est précisée.

La moitié **de** vingt-cinq, c'est combien ?

Le quart **de la** population n'a pas pris de vacances cette année.

Un centième **de** mon salaire passe en abonnements à des magazines de loisirs.

On peut souvent exprimer une proportion identique ou approximative de plusieurs façons :

25% des Français, un Français sur quatre, le quart des Français

50% des Français, un Français sur deux, la moitié des Français

34% des Français, un peu plus d'un Français sur trois, un peu plus du tiers des Français

98% des Français, presque tous les Français, la quasi-totalité des Français

Attention : quand l'expression de proportion (tiers, majorité, 98%, etc.) est suivie d'un nom au pluriel, on accorde le plus souvent le verbe au pluriel :

Le tiers des Français **pratiquent** la natation.

La majorité des retraités **partent** en vacances.

Activité 1.2.4

Reformulez les mots en gras dans les phrases suivantes en utilisant des expressions de proportion qui ont le même sens. Il y a plusieurs possibilités pour chaque phrase.

1 **50% des Français** sont amateurs de jeux vidéo sur ordinateur ou sur console.

2 **42% des Français** ne lisent aucun livre.

3 **65% des Français** ne séjournent jamais en dehors de la France.

4 **38% des Français** pratiquent le cyclisme.

5 **13% des Français** pratiquent la gymnastique.

6 **Presque la moitié des travailleurs** partent en vacances chaque année.

7 **La plupart des Français** qui partent en vacances à l'étranger choisissent l'Espagne.

8 **Un Français sur trois** choisit ses vacances au dernier moment.

O1.3 Décrire des statistiques

1 Voici des verbes utiles pour commenter des graphiques/chiffres :

- augmenter de, diminuer de
- rester stable
- progresser de, régresser de
- passer de ... à
- varier
- arriver en première/deuxième/dernière position

La part du budget des ménages consacrée aux livres et journaux **a** fortement **diminué**. Elle **est passée de** 20,2% **à** 14,1%.

La proportion des Français qui partent en vacances **a** peu **varié.**

Ce sont les séjours à la mer qui **ont** le plus **progressé.**

Les voyages à l'étranger **ont augmenté** de 10% par rapport à l'an passé.

Les dépenses consacrées à la presse et la lecture **sont restées stables** entre 2002 et 2005.

Le cyclisme est de loin le sport favori. Il **arrive en première position**.

2 Voici des expressions clés pour commenter des enquêtes et informations statistiques :

L'enquête/le sondage réalisé(e) auprès d'un échantillon représentatif de la population montre/révèle/met en évidence...

Les résultats/les chiffres/les statistiques/les données confirment/contredisent...

Résultat attendu, les Français approuvent...

Contre toute attente/Résultat surprenant, les Français réprouvent/désapprouvent...

Vingt pour cent des personnes interrogées pensent/estiment/admettent/déclarent/jugent/soutiennent...

Les personnes interrogées approuvent/plébiscitent/sont d'accord à 60% pour dire que...

3 On peut nuancer ses commentaires en employant des adverbes comme « fortement, peu, largement, sensiblement, beaucoup », etc. On les place après le verbe, ou après « avoir » ou « être » dans les temps composés.

La part du budget consacrée aux livres et journaux a **fortement** diminué en 2005, au profit de l'informatique.

La proportion des Français partant en vacances a **peu** varié.

Activité 1.2.5

A

Regardez le tableau ci-dessous et notez l'activité culturelle la plus pratiquée et celle qui était la moins pratiquée en France en 2006.

Parmi les choses suivantes, quelles sont celles que vous aimez le plus faire ?

	1979	2006
Regarder la télévision	54%	59%
Écouter de la musique	41%	57%
Lire des livres	49%	49%
Lire des journaux, des magazines, des revues	42%	49%
Aller au cinéma	27%	33%
Surfer sur l'Internet	–	26%
Aller au théâtre	11%	9%
Sans opinion	2%	1%

(« Parmi les choses suivantes, quelles sont celles que vous aimez le plus faire ? », *TNS Sofres*, 15 mars 2006, http://www.tns-sofres.com/etudes/pol/150306_pratiquesculturelles.htm, dernier accès le 15 juillet 2008)

B

À partir des informations données dans le tableau, faites des phrases contenant les verbes proposés.

1 augmenter

2 diminuer

3 rester stable

4 passer de ... à

5 varier

Les vacances d'été

Dans les activités qui suivent, vous allez aborder le thème des vacances d'été des Français. Traditionnellement longues, et encore très populaires, elles connaissent pourtant un léger déclin, et une évolution des habitudes. Les documents que vous allez étudier vont vous expliquer pourquoi.

Activité 1.2.6

Étudiez les statistiques fournies ci-dessous et au verso. Elles donnent des informations sur les choix de destinations des Français pour leurs vacances d'été, et sur les raisons de ces choix. Faites huit phrases pour présenter les faits principaux révélés dans l'histogramme et le tableau.

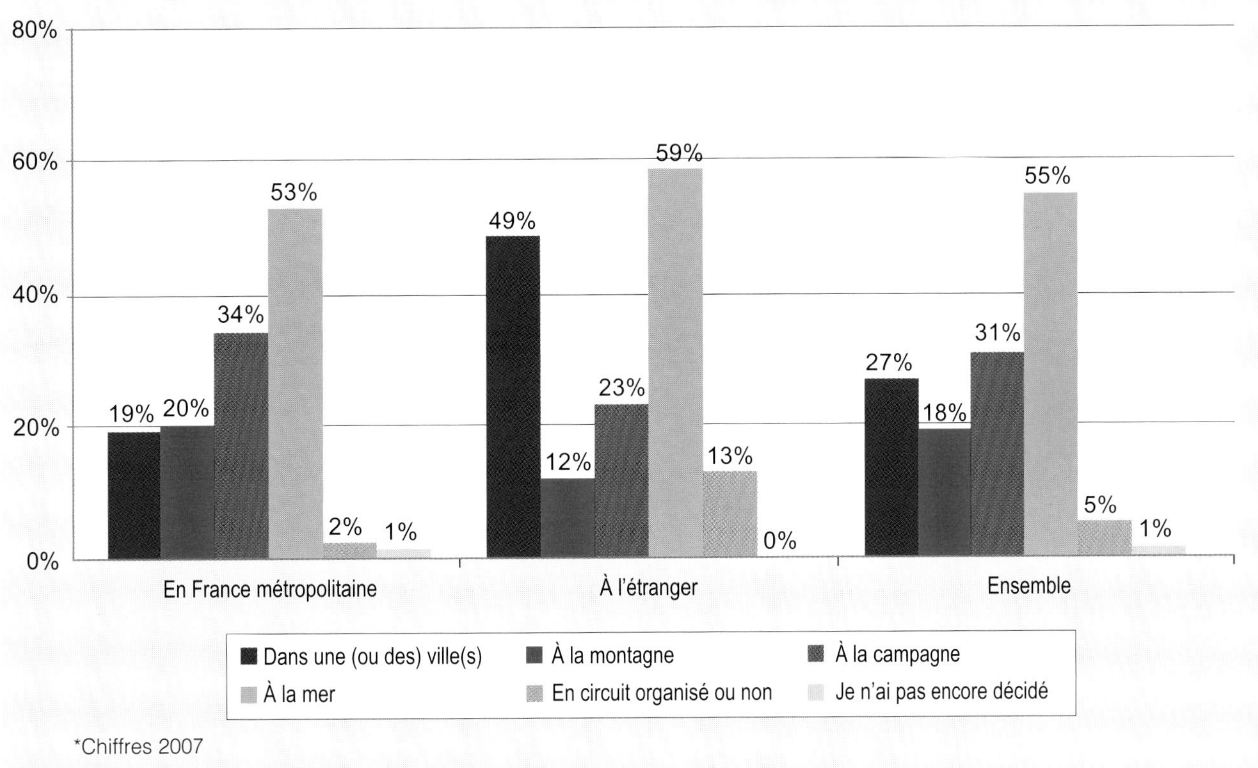

(Institut d'études de marché et d'opinion, « Les intentions de départ des Français en été 2007 », 26 mai 2007, http://www.bva.fr/dossiers.php?dossier=23&id=590, dernier accès le 25 avril 2008)

Pour quelle(s) raison(s) avez-vous choisi cette destination de vacances ?

(Plusieurs réponses possibles. Base : personnes ayant l'intention de partir cet été en longs séjours)*

	Ensemble	Départ en France	Départ a l'étranger
	881 %	230 %	634 %
• J'en suis originaire, présence de la famille	34	33	38
• Le climat, le soleil	17	16	20
• Par habitude, j'y vais régulièrement	15	16	10
• La mer	15	15	14
• La richesse du patrimoine naturel et culturel	13	12	16
• La découverte d'une nouvelle destination	11	7	20
• C'est une destination propice pour les vacances en famille, avec les enfants	8	9	5
• La diversité des activités sportives qu'il est possible de pratiquer	7	8	4
• Sur conseils d'amis / famille	5	5	6
• Résidence secondaire, pied-à-terre	4	5	1
• Voir des amis	4	4	4
• Pour travailler / activité associative	1	1	3
• Les initiatives prises sur le lieu de séjour en matière de valorisation de l'environnement	1	1	1

*Chiffres 2007

(Institut d'études de marché et d'opinion, « Les intentions de départ des Français en été 2007 », 26 mai 2007, http://www.bva.fr/dossiers.php?dossier=23&id=590, dernier accès le 25 avril 2008)

Activité 1.2.7

Lisez le texte ci-dessous et répondez aux questions qui suivent.

Les grandes vacances

Le mois d'août en France vu par une touriste allemande

La ville est endormie, les stores sont clos. Les platanes projettent leurs ombres sur le pavé, et les vitrines affichent partout « fermeture annuelle ». La France entière est en vadrouille : c'est le 15 août, et seuls les touristes naïfs ignorent ce que cela signifie.

Le 15 août, jour de l'Assomption, est en quelque sorte un concentré d'été français : rues désertes, chaleur paralysante, vie publique en veilleuse. La sieste nationale débute fin juillet avec un exode collectif vers les côtes. Des embouteillages interminables se déplacent depuis l'intérieur du pays vers sa périphérie. [...]

Le mois d'août reste le mois où l'on ferme la boutique, où l'on bourre la voiture et où l'on se mêle aux files de voitures sur les routes nationales. Atlantique ou Méditerranée ? Peu importe, pourvu que ce soit de l'eau ! Et que l'on y parle français ! Ou une langue latine à la rigueur. Comment sinon pourrait-on refaire le monde avec le marchand de journaux ou baratiner la jolie vendeuse de chocolats ? Et comme nulle part on ne parle un français aussi châtié qu'en France, les Français préfèrent passer leurs vacances d'été dans leur propre pays. Les statistiques de l'Office du tourisme indiquent une part constante de 80–90% de Français séjournant dans leur propre pays. En cas de vacances à l'étranger, ils iront à la rigueur en Espagne, en Italie ou dans un des départements d'Outre-Mer, mais aussi en Tunisie ou au Maroc, où l'on parle également le français.

Pourquoi aussi aller à l'étranger quand l'Hexagone [...] offre tout ce qui peut combler le vacancier ? A l'ouest, un océan Atlantique écumant qui se brise sur une côte déchiquetée ; au sud, la turbulence et la mondanité de la Côte d'Azur. Sans oublier la Provence, référence mondiale en matière de satisfaction des sens : étendue bleue et parfumée des champs de lavande vibrant sous le soleil, buissons de genêts sur le sol ocre auxquels se mêlent les senteurs d'herbacées, et à partir de Nîmes, une succession d'amphithéâtres romains.

En France, le flux migratoire du retour à la vie quotidienne porte [...] un nom : la rentrée. Les bouchons se redéplacent de la périphérie vers le centre, les villes ressortent de leur léthargie. En même temps que la nouvelle année scolaire, la saison théâtrale et musicale redémarre, et la politique fait de nouveau la manchette des journaux. Les commerçants décrochent la pancarte « congés annuels », y passent un coup de chiffon et la mettent de côté... jusqu'au prochain mois d'août.

(Ariane Greiner, « Les grandes vacances... », *ARTE*, 10 août 2006, http://www.arte.tv/fr/recherche/1284004.html, dernier accès le 8 avril 2008)

Vocabulaire

l'Hexagone (m.) nom parfois donné à la France (pour sa forme hexagonale)

1 Quelle est la période pendant laquelle la France est « endormie » d'après le texte ? Pourquoi ?

2 Quels sont les deux facteurs importants dans le choix du lieu de vacances des Français mentionnés dans le texte ?

3 Quelle est la caractéristique des pays étrangers les plus visités par les Français en vacances ?

4 Quelles sont les deux raisons évoquées dans le texte qui expliquent pourquoi les Français restent majoritairement dans leur pays pendant les vacances ?

5 Quelles sont les trois régions françaises privilégiées pour les vacances citées dans le texte ?

6 Qu'est-ce que la « rentrée » ?

O1.4 Parler des jours de congé

Dans le vocabulaire des congés, il y a diverses façons d'exprimer les congés longs (une vingtaine de jours, qui souvent suivent le rythme scolaire), et les congés courts (un, deux ou trois jours).

Les congés longs

les grandes vacances trois ou quatre semaines en juillet, ou en août (ou de la mi-juillet à la mi-août)

la fermeture annuelle les grandes vacances des commerçants ou des petites et moyennes entreprises

les petites vacances une ou deux semaines au milieu du trimestre scolaire, en octobre, février ou mai

Les congés courts

un jour férié un jour de fermeture officielle pour les bureaux et les commerces, par exemple le 15 août. (Les jours pendant lesquels on travaille s'appellent les jours « ouvrés » non pas parce qu'ils sont « ouverts » mais parce que ces jours-là on a de l'ouvrage, c'est-à-dire du travail.)

un jour de congé un jour férié ; également un jour ouvré que l'employé a obtenu de son employeur comme vacances

un pont un ou deux jours de vacances autour d'un week-end ou d'un jour férié

Après avoir envisagé les vacances d'été traditionnelles, vous allez maintenant découvrir les changements récents qui affectent les habitudes des Français quant à leurs vacances.

Activité 1.2.8

A

Lisez le texte suivant et choisissez celui des deux résumés à la page 32 qui reflète le mieux les vues du professeur Felizitas Romeiß-Stracke.

Touristes « en quête de sens »

Entretien avec le professeur Felizitas Romeiß-Stracke, spécialiste des loisirs à Munich

Sociologue diplômée et urbaniste, Felizitas Romeiß-Stracke [...] défend la thèse d'un changement radical en Occident : la société en quête de plaisir est en passe d'être remplacée par une société « en quête de sens », ce qui va modifier profondément et à long terme les habitudes en matière de vacances. [...]

Quelles sont les nouvelles tendances pour les vacances ? Dans votre livre, vous avancez l'idée que l'évolution vers une « société en quête de sens » modifie aussi nos loisirs. Quel est l'impact de ce changement de valeurs sur l'organisation de nos vacances ?

Cela signifie tout d'abord que nous prévoyons nos vacances de façon plus spontanée. Mais ce n'est pas juste une question d'envie spontanée. C'est aussi parce que de plus en plus de gens ignorent, en début d'année, quelle sera leur situation professionnelle et financière. Ils ne peuvent donc pas prévoir leurs vacances. Cette situation va poser un problème croissant aux tour-opérateurs. Ils s'attendaient jusqu'à présent à ce que les gens planifient leurs congés annuels au mois de janvier. C'est de moins en moins le cas.

En ce qui concerne les vacances proprement dites, on ne peut pas parler actuellement d'une seule et unique tendance, il y en a plusieurs, et elles coexistent. Par exemple, tous apprécient encore les vacances au soleil ou au bord de la mer, mais c'est rarement l'objectif unique des vacances. De plus en plus de gens essaient de consacrer au moins une partie de leurs vacances au développement personnel. On retrouve ici l'évolution vers une société « en quête de sens », dont il a déjà été question. C'est également lié à la pression du marché du travail, pour lequel il faut se former continuellement. Dans ce contexte, le tourisme culturel est en plein essor. On continue cependant de passer une partie de ses vacances à ne rien faire, à recharger ses batteries. Cela explique le culte du « bien-être ». Mais l'ancienne tendance, selon laquelle les vacances sont surtout faites pour s'amuser, existe toujours en parallèle. [...]

A quoi ressembleront les vacances du futur ?

Dans 15 ans, les vacances telles que nous les connaissons aujourd'hui seront complètement dépassées. Le voyage organisé vendu sur catalogue n'a certainement aucun avenir. J'imagine le scénario suivant : nous remplacerons les traditionnels congés annuels par plusieurs séjours courts répartis sur l'année. On partira par exemple une semaine en cure dans les Alpes au printemps, puis deux voire quatre semaines dans une ferme ou une maison en Provence en été, pour concevoir – seul, entre collègues ou entre amis – un nouveau projet professionnel. Il ne s'agirait pas forcément de vacances, mais plutôt d'une « pause créative », financée par l'employeur ou prise sur le temps de travail pour l'indépendant. Plus tard dans l'année, on ferait par exemple une randonnée à vélo avec toute la famille. Le clivage entre vacances et vie professionnelle va s'effacer progressivement. [...]

Quelles sont, à l'échelle européenne, les différences en ce qui concerne la planification des vacances ? Les Français passent traditionnellement leurs vacances en France et rendent visite aux amis et à la famille. Les Allemands préfèrent souvent partir loin de chez eux. Ces différences vont-elles s'estomper ?

C'est déjà le cas, mais les spécificités culturelles seront toujours présentes en ce qui concerne l'organisation des vacances. La France compte beaucoup plus de paysages diversifiés : la mer, les Alpes, entre autres. En Allemagne, nous avons certes la Mer du Nord et la Baltique, mais la baignade n'y est pas aussi agréable qu'en Méditerranée. En France, depuis les années 60, la politique gouvernementale a contribué à ce que les Français restent chez eux pendant les vacances, par exemple grâce au développement de la côte méditerranéenne et de la Savoie, par la création d'appartements en copropriété. Pour les Français, la résidence secondaire est souvent une deuxième patrie. Deux à trois millions d'Allemands aimeraient eux aussi avoir un pied-à-terre quelque part, mais les communes du bord de mer ou de montagne sont réticentes. Les propriétaires de maison secondaire ne sont pas très bien vus en Allemagne. En France, c'est ancré dans les habitudes culturelles : c'est considéré comme normal d'avoir un pied-à-terre à la mer ou à la montagne. [...]

(« Touristes en quête de sens », *ARTE*, 10 août 2006, http://www.arte.tv/fr/histoire-societe/vacances/1280618,CmC=1261416.html, dernier accès le 8 avril 2008)

1 Les vacances des Français étaient autrefois tout à fait spontanées, et comme ils avaient souvent une maison secondaire, ils pensaient qu'ils n'avaient pas besoin de prévoir où ils passeraient leurs congés annuels. Aujourd'hui, ils sont très nombreux à planifier des voyages à l'étranger avec pour objectif unique des vacances au soleil, surtout au bord de la mer. ☐

2 Traditionnellement, les Français prévoient leurs vacances à l'avance, et les passent principalement à se reposer et à s'amuser. Plus récemment, les Français ont des vacances plus spontanées et plus consacrées à la culture et à l'épanouissement personnel. À l'avenir, les voyages organisés choisis sur catalogue n'existeront plus. ☐

B

Classez les exemples de vacances donnés ci-dessous, selon qu'ils correspondent aux tendances traditionnelles ou nouvelles.

1 Découverte de musées régionaux
2 Vacances pêche en Bretagne
3 Repos à la campagne, en famille
4 Farniente à la plage
5 Visite de sites archéologiques
6 Vacances conjuguées à un stage professionnel

C

1 Quels sont les deux changements principaux prédits pour les vacances du futur ?
2 Quelles sont les différences principales relevées dans le texte entre les Français et les Allemands en termes de vacances ?

La qualité de la vie

Les Français se sont beaucoup posés de questions sur les vrais avantages de l'augmentation du temps libre. Le texte de l'activité suivante va illustrer ce problème.

Activité 1.2.9

A

Lisez le texte suivant et cochez les cases selon que les déclarations ci-dessous sont vraies ou fausses, d'après le texte. Réécrivez en français les déclarations fausses de façon à ce qu'elles soient conformes à ce qui est dit dans le texte.

Les 35 heures ont-elles réellement amélioré la qualité de vie ?

La réduction du temps de travail n'a pas seulement des conséquences en termes économiques et sociaux ; c'est un changement de mode de vie : travailler moins ou autrement revient à faire plus de place à la sphère personnelle. En effet, c'est un nouveau rapport au temps qui a été initié, offrant ainsi à chacun l'opportunité de mieux concilier sa vie familiale et professionnelle, de consacrer plus de temps à ses activités de loisirs et à son équilibre personnel.

La disponibilité accrue et nouvelle des 14 millions de Français concernés (8,8 millions de salariés et 5,2 millions de fonctionnaires) ouvre également de larges perspectives à toutes les formes d'implications extra-professionnelles dans la vie civique, associative, sportive ou culturelle, qui se trouvent de fait valorisées et de plus en plus porteuses d'identité.

Ainsi, dans le cadre d'une étude menée par l'institut de sondage CSA, 75% des salariés interrogés ont estimé que l'effet de la RTT sur la vie quotidienne a été dans le sens d'une amélioration. De plus, selon une étude menée par la Direction de l'animation de la recherche, des études et des statistiques (DARES) du ministère de l'Emploi et de la Solidarité, un tiers des salariés considère que la conciliation de la vie professionnelle et de la vie familiale est désormais plus aisée : la moitié des parents passent plus de temps et plus de jours de vacances avec leurs enfants, et quatre salariés sur dix passent plus de temps avec leur conjoint. Le temps dégagé se répartit également entre le repos, les tâches domestiques et les loisirs.

Rappelons en dernier lieu, que la diminution du temps de travail est une tendance historique observable tout au long du 20e siècle, et impulsée par des gouvernements de gauche comme en 1936 et en 1981.

(« Questions-réponses sur la réduction du temps de travail », *Temps Réels*, 3 décembre 2002, http://www.temps-reels.net/imprimer.php3?id_article=805, dernier accès le 8 avril 2008)

Vocabulaire

porteuses (f.pl.) d'identité permettant d'enrichir son sentiment d'identité

impulsé déclenché, commencé

Note culturelle

les fonctionnaires Ce sont les employés qui travaillent pour l'État français (professeurs, médecins, infirmières, administrateurs, etc. dans le secteur public). On en comptait 5,2 millions en décembre 2005, soit environ 20% de la population active. Ils bénéficient de certaines conditions sociales privilégiées, par exemple concernant leurs vacances ou leur retraite.

		Vrai	Faux
1	La réduction du temps de travail a profondément changé les modes de vie et de comportement.	☐	☐
2	La réduction du temps de travail a permis un gain de temps pour les familles.	☐	☐
3	La réduction du temps de travail a dévalorisé les activités associatives.	☐	☐
4	La réduction du temps de travail a augmenté le temps passé aux loisirs de manière très significative.	☐	☐
5	La réduction du temps de travail est un phénomène récent dans l'histoire économique de la France.	☐	☐

B

Commentez en environ 150 mots les effets de la réduction du temps de travail sur la vie des Français. Votre commentaire devra comporter les rubriques suivantes :

1. Effets de la RTT sur le rythme de vie quotidien :
   (a) à la maison ;
   (b) au travail.
2. Effets de la RTT sur les loisirs.

Pour beaucoup de Français, la réduction du temps de travail a constitué un tournant important. Grâce aux activités qui suivent, vous verrez des structures utiles pour comparer une situation présente à une situation passée.

Activité 1.2.10

A

Lisez le texte ci-dessous et complétez le tableau suivant en indiquant au moins trois caractéristiques de la vie de l'auteur avant et après la RTT.

Ma vie depuis la réduction du temps de travail

Je suis célibataire et je travaille comme assistante du directeur des ressources humaines dans une PME spécialisée dans la téléphonie mobile. Cela fait maintenant près de huit ans que mon entreprise a décidé de passer aux 35 heures.

Avant la loi sur la réduction du temps de travail, c'était toujours la course, je n'avais jamais de temps. Depuis le changement, j'ai plus de loisirs et plus de flexibilité dans l'organisation de mon travail. Avant, j'étais beaucoup moins en forme. Mais je me suis inscrite dans un club de voile il y a environ cinq ans, et cela fait aussi environ cinq ans que je me suis remise à aller au ciné régulièrement. Depuis que je travaille moins d'heures par semaine, je peux aussi m'occuper des enfants de ma sœur. Il y a maintenant bientôt deux ans que je les garde tous les mercredis après-midi. Ils sont ravis !

Et puis, depuis que j'ai réduit mes horaires, je m'occupe davantage de ma maison. Avant, j'étais un peu plus fatiguée, j'avais tellement d'autres choses à faire, que cela passait un peu au second plan. Depuis que je ne travaille pas autant, j'ai l'impression que c'est moins pénible comme tâche parce que j'ai plus de temps pour le faire. Non vraiment, la réduction du temps de travail, c'est totalement bénéfique pour moi.

Ma vie avant les 35h	Ma vie après les 35h
Je n'avais jamais de temps ...	*J'ai plus de loisirs* ...

B

Relisez le texte et identifiez les phrases contenant les mots ci-dessous. Observez la construction verbale de chaque structure.

1. il y a ... (que)
2. cela fait ... que
3. depuis ... que

G1.2 Exprimer la durée : « ça fait ... que, il y a ... que, depuis ... (que) »

L'emploi des temps avec les expressions de durée – « ça fait ... que » (ou « cela fait ... que »), « il y a ... que » et « depuis ... (que) » – varie en fonction de la situation décrite dans la phrase.

1 Si la phrase fait référence à une situation qui a commencé dans le passé mais qui se continue dans le présent, on utilise un verbe au présent :

   J'ai des horaires flexibles depuis cinq ans.

   Ça fait deux ans que **je m'occupe** d'enfants.

   Il y a plusieurs mois que **je vais** au cinéma toutes les semaines.

2 Si la situation ne se continue pas dans le présent en revanche, on utilise le passé composé :

   J'ai arrêté de faire des heures supplémentaires depuis six mois.

   Ça fait une demi-heure qu'**il est arrivé**.

   Il y a deux ans que mon entreprise **a choisi** les 35 heures.

Avec des périodes de temps, on peut utiliser indifféremment les trois expressions, comme dans tous les exemples ci-dessus. Mais avec une date précise, ou un moment précis, on ne peut utiliser que « depuis ».

Je travaille dans cette entreprise **depuis 2008**.

Elle est en vacances **depuis hier**.

Quand « depuis » est suivi d'une expression comportant un verbe, il se construit avec « que ».

Elle est comblée **depuis qu'**elle a pris sa retraite.

Il a appris à apprécier les vins **depuis qu'**il travaille pour *Vignobles et Terroirs de France*.

Activité 1.2.11

Complétez les phrases suivantes avec le verbe au temps qui convient.

1 Depuis que je (aller) __________ au cinéma fréquemment, je suis au courant de l'actualité cinématographique.

2 Ça fait dix minutes que le train (partir) __________.

3 Depuis 2007, je (faire) __________ plus de sport.

4 Il y a trois ans qu'il (arrêter) __________ le squash, c'était un sport trop éprouvant.

5 Depuis les 35 heures, il (consacrer) __________ plus de temps à ses enfants.

S1.3 Organiser ses notes de grammaire

Vous avez maintenant probablement trouvé un système pour classer vos notes personnelles. Elles comportent certainement une section pour la grammaire. Il est très utile pour chaque point de grammaire de classer vos notes à l'aide de subdivisions, par exemple :

- Notes supplémentaires sur les nouveaux points de grammaire : prendre des notes personnelles, même brèves, sur les points enseignés dans ce cours vous aidera à les mémoriser plus facilement.
- Révisions : lorsque vous avez besoin d'aller réviser un point de grammaire qui n'est pas développé dans ce cours, par exemple à l'aide d'un livre de grammaire, prenez des notes et classez-les séparément.
- Exemples personnels : il est toujours plus aisé de se souvenir de règles de grammaire si on les emploie dans des exemples qui s'appliquent directement à soi, qui ont un rapport avec sa propre vie.

Vous venez de travailler sur l'expression de la durée et sur l'usage de « depuis ... (que) », « il y a ... que » et « ça fait ... que ». Avez-vous pris des notes personnelles sur ce point clé ? Si c'est le cas, attention à ce qu'elles soient suffisamment claires pour vous faciliter la révision. Vous pouvez, par exemple, reformuler les règles données, en utilisant vos propres mots ; ou vous pouvez ajouter des exemples personnels, peut-être fondés sur des événements de votre vie, ou autour de personnes que vous connaissez. Utilisez maintenant ces structures aussi souvent que possible, pour en fixer le fonctionnement.

Activité 1.2.12

Imaginez que votre entreprise a réduit les horaires de travail il y a deux ans, vous permettant de gagner cinq heures de loisir par semaine. (Ou si vous préférez, imaginez que vos activités actuelles, imposées par les circonstances, diminuent de cinq heures par semaine et vous laissent le loisir de faire ce que vous voulez pendant ce temps libéré.) Expliquez comment vous organisez votre temps maintenant et comparez avec votre mode de vie d'avant. Écrivez environ 200 mots.

Session 3 Changer de vie

Changer de vie, c'est prendre un nouveau départ, commencer une nouvelle activité professionnelle ou décider d'aller s'installer ailleurs. On décide de changer de cap lorsque l'on n'est plus satisfait de ce que l'on fait ou, dans certains cas, quand on aspire à des valeurs différentes, à un style de vie différent. De nombreux Français ainsi décident de se mettre au vert pour fuir la vie stressante des grandes villes, d'autres s'engagent dans des actions humanitaires pour donner un sens plus riche à leur vie. D'autres enfin souhaitent changer de vie parce qu'ils cherchent aussi à changer le monde.

Points clés

- G1.3 Le passé composé et l'imparfait
- C1.2 Les nouvelles tribus
- C1.3 Le chanteur Renaud
- C1.4 Le baccalauréat et les années d'études en enseignement supérieur
- C1.5 Le dossier de candidature

Les nouvelles tribus

Chaque époque produit des couches de la société qui souhaitent échapper aux normes de vie habituelles. Dans les activités suivantes vous entendrez parler des « babas » des années soixante-dix, des « bobos » des années quatre-vingt-dix, et aujourd'hui des « créatifs culturels ». Tous ont changé de vie, beaucoup d'entre eux en abandonnant un milieu professionnel citadin pour changer radicalement de style de vie, chacun à leur façon, selon les décennies. Ce sont ces « nouvelles tribus » que vous allez découvrir.

Activité 1.3.1

A

Regardez ces trois photos et légendez chacune d'elle en décrivant en quelques mots le changement de vie illustré.

1

2

3 

B

Que pourriez-vous faire pour changer de vie ? Donnez deux ou trois exemples pour chacun des domaines suivants :

- religieux/humanitaire
- professionnel
- géographique
- personnel

C

Et vous, laquelle de ces possibilités de nouveau départ dans la vie préférez-vous ? Expliquez en deux ou trois phrases.

C1.2 Les nouvelles tribus

Traditionnellement, les groupes sociaux étaient « classés » selon la catégorie économique à laquelle ils appartenaient, par exemple « la classe ouvrière », « la petite bourgeoisie » ou « la (haute) bourgeoisie ». Les groupes sociaux étaient plus ou moins organisés autour de la profession, par catégorie socioprofessionnelle. Au cours des dernières décennies, avec la quasi-disparition des ouvriers travaillant dans les industries lourdes et la montée des industries du service, ce langage s'est progressivement estompé. Les « ouvriers » d'autrefois sont aujourd'hui souvent désignés par des termes reflétant leur activité (« travailleurs de la restauration », « techniciens », « commerciaux », etc.).

De nouvelles tribus se sont substituées à ce qu'on appelait « la bourgeoisie ». Ces nouveaux groupes sociaux ont trouvé de nouvelles formes d'appartenance. Ainsi, ils se regroupent autour de valeurs, d'opinions, mais surtout autour de modes de vie et de centres d'intérêt. Les signes d'appartenance sont visibles dans les lieux fréquentés, l'habillement, le langage, etc. Les tribus se veulent en quête d'un mode de vie « alternatif » et porteur de nouvelles cultures.

Ainsi, les « bon-chic-bon-genre » sont les plus proches de la bourgeoisie d'autrefois. Par contraste, les « bobos » (« *bo*urgeois-*bo*hêmes ») se caractérisent pas leurs lieux d'habitation : les quartiers chics et décontractés des grandes villes. Ils sont graphistes, peintres, journalistes, photographes, architectes ou designers. Leurs frères moins argentés, les « babas » sont des hippies restés fidèles à ce mouvement depuis les années soixante-dix (souvent appelés « babas cool »).

D'autres collectivités décident, pour développer leur projet de vie alternatif, de s'implanter dans le tissu néorural ou périurbain, comme les « créatifs culturels ». Ceux-ci sont préoccupés à la fois par la justice sociale, l'engagement écologique, l'alimentation bio, les méthodes naturelles de santé, le développement personnel et les nouvelles spiritualités.

Ces nouvelles tribus s'opposent en général activement à la mondialisation, par leur mode de vie et leurs comportements, défendant l'environnement et la solidarité sociale. Qu'elle soit urbaine ou périurbaine, la tribu représente avant tout un moyen d'intégration et d'appartenance.

Activité 1.3.2

A

Lisez le texte et cochez les cases selon que les déclarations ci-dessous sont vraies ou fausses, d'après le texte.

« Vous êtes peut-être un créatif culturel… »

Après les bobos, les CC ! Férus d'écologie autant que de spiritualité, rêvant d'un monde meilleur qu'ils contribuent à mettre en œuvre, ils sont à l'avant-garde du changement sociétal. Décryptage d'une nouvelle tribu.

Appelez-les « CC », ou même « créa-cu », surnom polisson qu'ils se donnent en plaisantant. Les créatifs culturels forment une espèce en voie d'apparition, repérée par quelques sociologues et déjà disséquée dans un livre qui vient de paraître[(1)]. […]

Pour décrire ces valeurs qui animent les CC, le sociologue Jean-Pierre Worms explique : « Ils veulent que le cœur et la raison soient indissociables. » Quitte à changer de vie, tel Jean-Louis Grimaldi, devenu bouddhiste et traiteur bio[(2)] après avoir brûlé sa vie par les deux bouts dans l'engrenage fric – frime – non-sens à Miami. Ou comme Elisabeth Laville, qui, après un parcours d'impeccable businesswoman dans l'audit, a tout lâché pour lancer Utopies, société de conseil en développement durable. Comme eux, les CC, citoyens voulant réinventer le monde, vivent en adéquation avec leurs idéaux humanistes sans pour autant fuir dans le Larzac, à la façon des babas des années 1970… Les deux pieds dans l'époque, les créa-cu, surreprésentés parmi les CSP +, majoritairement jeunes (ce sont à 68% des gens de 18 à 49 ans), avec une grande proportion de femmes (64%), s'engagent au cœur de la société pour mieux la transformer. Loin de fomenter une hypothétique révolution, ils la mènent tous les jours dans leur vie quotidienne !

« Quand j'ai découvert ce livre, je me suis dit avec soulagement que je n'étais pas le seul à vouloir changer le monde sans pour autant renoncer à la consommation – et au plaisir qu'elle procure – et sans me reconnaître dans le mouvement altermondialiste », confie Tristan Lecomte, 33 ans, diplômé d'HEC et fondateur d'Alter Eco, société de produits alimentaires et cosmétiques issus du commerce équitable.

Les points communs des CC ? Ils valorisent l'écologie (94% d'entre eux s'en préoccupent, contre 72% pour l'ensemble des Français), la spiritualité et la connaissance de soi (79%, contre 48%), la place des femmes dans la société, le multiculturalisme (valeur essentielle pour 86% d'entre eux, contre 57% des Français) et la solidarité.

« Ce qui était en 1968 le fait de quelques happy few – le pacifisme, le bio, le New Age, les médecines douces… – se diffuse réellement dans l'ensemble du corps social en passant par cette avant-garde des CC. C'est le triomphe d'une solidarité qui surgit de la base, des actions individuelles, et non du haut, des institutions », décrypte Michel Maffesoli, sociologue et auteur du *Réenchantement du monde* (La Table ronde). « […] Ce qui compte, c'est la qualité de l'existence : ne pas perdre sa vie à la gagner. Cette dimension créatrice et créative – au sens américain : créer une nouvelle culture de société – va se développer de plus en plus », poursuit-il. La formule « créatifs culturels » est d'ailleurs une traduction littérale de l'américain *cultural creatives*, l'enquête sur les CC ayant initialement été menée aux Etats-Unis, dès 2000[(3)].

Comme toute tribu en pleine éclosion, les CC ne savent pas encore tous… qu'ils le sont ! Et vous, en êtes-vous ? Le livre se termine par un quiz. Si vous méritez l'étiquette, faites-en bon usage : pour éviter qu'elle ne soit récupérée par Renaud […], l'expression « créatifs culturels » est déjà déposée à l'Institut national de la propriété industrielle ! Polissons et sacrément futés, ces créa-cu…

(1) *Les Créatifs culturels en France*, ed. Yves Michel, 2007

(2) *http://www.graindevie.fr*

(3) *L'Emergence des créatifs culturels*, par Paul H. Ray, Sherry Ruth Anderson, ed. Yves Michel, 2001

(Katell Pouliquen, « Vous êtes peut-être un créatif culturel… », *L'Express.fr*, 30 avril 2007, http://www.lexpress.fr/mag/sports/dossier/modevie/dossier.asp?ida=457323, dernier accès le 8 avril 2008)

Vocabulaire

l'engrenage (m.) fric – frime – non-sens (fam.) le cercle vicieux qui fait que, quand on est très riche, on est souvent aussi trop intéressé par les aspects les plus superficiels de la vie

les deux pieds dans l'époque qui acceptent totalement le système social contemporain

altermondialiste qui conteste le modèle libéral de la mondialisation

bio (abrév. fam.) biologique, produit par l'agriculture biologique

Notes culturelles

le Larzac la région des Grands Causses (sud de la France ; ce nom est devenu symbole de la culture hippie et du « retour à la nature » des citadins dans les années soixante-dix)

les CSP (f.pl.) les classes socioprofessionnelles (lorsque cet acronyme est suivi d'un signe +, l'expression signifie les classes plus riches que la moyenne)

HEC (f.) École des Hautes Études Commerciales (établissement parisien d'élite qui prépare aux professions du management)

récupérée par Renaud caricaturée par Renaud pour en faire une chanson (voir C1.3 ci-dessous)

		Vrai	Faux
1	Les créatifs culturels s'intéressent à l'économie.	☐	☐
2	Les créatifs culturels ont acheté des résidences secondaires dans le Larzac.	☐	☐
3	La devise des créa-cu serait : « créer un monde meilleur ».	☐	☐
4	Les créatifs culturels sont tous contre la mondialisation.	☐	☐
5	Ce phénomène provient des États-Unis.	☐	☐

B

Que faisaient les trois créatifs culturels cités dans le texte, avant leur nouvelle vie, et que font-ils maintenant ?

	Avant	Maintenant
Jean-Louis Grimaldi		
Elisabeth Laville		
Tristan Lecomte		

C

Résumez les valeurs importantes des créatifs culturels, d'après le texte, en finissant les phrases suivantes :

1 Ils sont passionnés de ___________.

2 Ils accordent de l'importance à ___________.

3 Ils sont consommateurs de ___________.

4 Ils aspirent à ___________.

D

Faites le portrait des créatifs culturels en cochant parmi toutes les caractéristiques suivantes, les huit qui les définissent, d'après le texte. Les créatifs culturels sont :

1 avant-gardistes ☐
2 individualistes ☐
3 humanistes ☐
4 réalistes ☐
5 femmes pour la plupart ☐
6 engagés ☐
7 extrémistes ☐
8 futés ☐
9 équitables ☐
10 multiculturalistes ☐
11 socialistes ☐
12 pacifistes ☐

E

Relevez les sept expressions du texte « Vous êtes peut-être un créatif culturel... » qui permettent d'exprimer le concept de « changement ». Si vous le pouvez, enrichissez votre liste avec d'autres expressions que vous connaissez.

C1.3 Le chanteur Renaud

Renaud est un chanteur à succès depuis les années quatre-vingt. Il exploite avec talent un accent d'ouvrier parisien et un registre linguistique qui mêle l'argot et la langue parlée dans les quartiers dits « populaires » pour critiquer violemment ses contemporains, exalter des modes de vie réprouvés par la « bonne » société (*Marche à l'Ombre*, *Laisse Béton*) ou pour évoquer des femmes avec tendresse (*Ma Gonzesse*) et humour (*Baby-sitting Blues*) ou encore chanter la nostalgie de l'enfance et d'un monde aujourd'hui perdu (*Mistral Gagnant*). La qualité de ses mélodies lui a assuré des succès fréquents depuis ses débuts. Ses textes, d'une trompeuse simplicité, peuvent être difficiles d'accès pour des lecteurs peu familiers des habitudes linguistiques dans les quartiers ouvriers de Paris. Cependant, pour trouver un peu d'aide, vous pourrez consulter de nombreux sites Internet qui proposent des informations sur Renaud et les paroles de ses chansons.

En 2006, Renaud a écrit une chanson caricaturant les bobos. En voici un court extrait :

> Les bobos
> Ils vivent dans les beaux quartiers
> Font leurs courses dans les marchés bios
> Ils fréquentent beaucoup les musées
> Les galeries d'art, les vieux bistrots...

Changer de métier

Annonces et carrières font partie intégrante de la vie quotidienne, surtout lorsque l'on cherche à se recycler. Dans cette section, vous perfectionnerez vos techniques de rédaction de lettre et de CV.

Activité 1.3.3

A

Lisez les trois annonces et les trois profils ci-dessous et faites correspondre chaque profil à l'annonce qui convient.

1

« Bien dans sa peau » – Le centre de bien-être et relaxation de Marseille recherche un professeur de yoga

Passionné(e) par la remise en forme, vous souhaitez organiser votre temps de travail en fonction de vos disponibilités. Vous êtes diplômé(e) de l'École française de yoga. Vous avez une solide expérience de l'enseignement du yoga utilisant diverses méthodes et vous êtes sérieux(se), dynamique, motivé(e), souriant(e). Vous présentez bien et avez le sens du contact.

CDD 6 mois minimum.
Rémunération intéressante.

Si vous êtes intéressé(e), merci de nous envoyer votre CV avec photo et lettre de motivation à :

biendanssapeau@recrutement.fr

2

Pour l'ouverture prochaine d'un nouveau magasin sur Limoges, « Bio et Santé » recherche un(e) assistant(e) commercial(e)

Vous possédez un diplôme de niveau bac + 2 et une expérience de la vente.

Vous serez chargé(e) de développer la clientèle, et de prospecter de nouveaux marchés. Doté(e) d'un réel sens commercial, vous saurez convaincre vos interlocuteurs. Rigoureux(se), organisé(e), dynamique, vous êtes prêt(e) à vous investir dans un environnement en constante évolution.

Parfaite maîtrise de l'outil informatique exigée. Bonnes connaissances dans le domaine loisirs / détente lié(s) à la nature souhaitées. Des compétences en anglais constitueraient un atout.

Possibilités de temps partiel.

Merci de ne pas envoyer de courrier « papier » mais de transmettre votre dossier de candidature à www.pmerecrutement.fr/emploi

3

L'association « SOS Planète » basée dans la région toulousaine recherche son/sa secrétaire

Généraliste ou polyvalent(e), vous exercerez toutes les tâches dites « classiques ». Vous travaillerez avec l'ensemble du personnel de l'association et vous serez le garant/la garante de la bonne diffusion de l'information. Vous possédez de très bonnes connaissances de Microsoft Office (Word, Excel, PowerPoint) et vous maîtrisez parfaitement l'anglais parlé. Doté(e) d'un réel sens de l'organisation et de l'écoute, vous êtes aussi capable de faire preuve de discrétion. Vous avez une excellente présentation et savez être souriant(e). Titulaire d'un diplôme de secrétaire, vous aurez si possible de l'expérience du domaine associatif.

Idéalement résidant(e) dans la région toulousaine.

Travail autonome.

Pour toute candidature, merci de nous adresser un CV et une lettre de motivation soit par courriel www.sosplanete.fr/recrutement, soit par courrier postal à SOS Planète – Service Recrutement – 7 rue Jean Jaurès – 31770 Calomiers.

Vocabulaire

CDD (m.) contrat à durée déterminée (c'est-à-dire un contrat temporaire)

bac + 2 deux années d'études supérieures après le baccalauréat (voir aussi C1.4 ci-dessous)

(a) Anne est secrétaire médicale. Elle a été embauchée à plein temps par le cabinet médical où elle avait fait son stage pendant ses études. Anne aime son métier de secrétaire mais elle voudrait travailler dans un milieu un peu plus excitant. Elle est membre d'une association de lutte contre l'analphabétisme. Elle s'épanouit dans le milieu associatif. Elle a envoyé des candidatures spontanées à quelques associations, mais sans résultat. Son salaire actuel n'est pas très élevé, et elle est prête à faire du bénévolat, pourvu que ce soit dans une organisation qui lui plaise.

(b) Alice est au chômage depuis trois mois, car l'entreprise qui l'employait a fait faillite. Parfois, Alice fait de l'intérim ; en ce moment, elle est intérimaire dans un complexe sportif où elle donne des cours de yoga. Le yoga est sa vraie passion et elle voudrait bien en faire son métier. Comme elle possède la formation requise, elle espère trouver un emploi à plein temps comme professeur de yoga avant la fin de l'année.

(c) Tristan travaille dans une société depuis de très nombreuses années. Il y est entré comme magasinier, mais il est vite devenu chef de service avant d'obtenir une promotion plus intéressante. Il est maintenant directeur des ventes et gère une équipe de vingt personnes. Il gagne bien sa vie, mais il a un travail fou, il est toujours stressé. En ce moment, il est en congé de maladie pour cause de surmenage. Il voudrait soit se recycler dans un domaine moins prenant que la vente, soit rechercher un poste commercial avec moins de responsabilités, ce qui lui permettrait aussi de profiter mieux de sa famille et des balades dans la nature, qu'il adore.

B

Relisez les trois annonces et retrouvez dans le texte des annonces les mots et expressions équivalents aux mots et expressions suivants. Pour vous aider, on a mis entre parenthèse le numéro de l'annonce qui contient le mot.

Exemple

effectuer (annonce 3) → *exercer*

1 vous aimez parler aux autres (annonce 1)
2 le salaire (annonce 1)
3 une lettre de candidature (annonce 1)
4 une qualification (annonces 2 et 3)
5 responsable de (annonce 2)
6 méthodique (annonce 2)
7 une excellente connaissance (annonce 2)
8 une qualité (annonce 2)
9 qui a plusieurs capacités (annonce 3)
10 indépendant(e) (annonce 3)

C

Relisez maintenant les trois profils et retrouvez dans ces textes les équivalents des expressions suivantes :

1 elle a été recrutée à temps complet
2 des demandes d'emploi
3 travailler sans être payé
4 elle est sans travail
5 l'entreprise a cessé son activité
6 elle fait des remplacements
7 la formation nécessaire
8 gravir les échelons
9 il dirige des équipiers
10 suivre une nouvelle formation professionnelle

D

Rédigez en 100 mots le profil qui correspond à votre situation, en vous inspirant si possible d'un des profils ci-dessus.

C1.4 Le baccalauréat et les années d'études en enseignement supérieur

Le baccalauréat

Le baccalauréat, ou plus souvent le « bac » valide la fin des études secondaires et ouvre l'accès à l'enseignement supérieur.

Il existe trois types de baccalauréat :

- baccalauréat général (le plus ancien, révisé en 1993)
- baccalauréat technologique (créé en 1968)
- baccalauréat professionnel (créé en 1985)

Dans l'expression « bac + 2 » que vous avez rencontrée dans les annonces, le chiffre indique le nombre d'années d'études après le bac.

Les études universitaires

Le « cycle court » représente deux années d'études après le baccalauréat (bac + 2), et oriente les étudiants vers les secteurs des affaires, de l'industrie ou des services. Les deux qualifications principales à ce niveau sont :

- le diplôme universitaire de technologie (DUT)
- le brevet de technicien supérieur (BTS)

Le « cycle long » est organisé en trois niveaux universitaires successifs, en conformité avec la plupart des systèmes universitaires européens. Les trois qualifications principales à ce niveau sont :

- la licence (bac + 3)
- le master (bac + 4/5)
- le doctorat (bac + 6)

Les « formations en alternance » permettent de préparer des diplômes après le bac en alternant les cours théoriques dans une école ou à l'université et la formation pratique dans une entreprise.

Activité 1.3.4

A

Relisez les trois annonces de l'activité précédente, puis lisez le CV ci-dessous et dites à quelle annonce il répond.

Anne Grégoire
115 av. du Général Leclerc
31000 Toulouse
05 55 67 45 33 (domicile)
08 34 12 89 77 (portable)
anne.gregoire@gregoire.fr

Née le 16 septembre 1976
Célibataire

Projet professionnel : travailler pour Médecins Sans Frontières.

Formation

2001 – 2002 : Brevet d'Études Professionnelles – Métiers du Secrétariat (Toulouse)
2003 – 2004 : Baccalauréat Professionnel – Métiers du Secrétariat (Toulouse)
2004 – 2006 : BTS Secrétariat

Expérience professionnelle

2006 – Secrétaire dans un cabinet médical de quatre médecins.
Affranchissement, tri et distribution du courrier ; réception des appels téléphoniques ; accueil du public ; gestion des plannings des congés ; suivi des dossiers des patients.

Compétences informatique et linguistique

Excel, Word, Access, PowerPoint
Anglais commercial

Activités extra-professionnelles

Danse, centre de remise en forme, lecture
Membre d'une association de lutte contre l'analphabétisme

B

Voici la lettre de motivation d'Anne Grégoire qui accompagnera son CV. Elle ne sait plus dans quel ordre elle doit rédiger cette lettre. Aidez Anne à la reconstituer, en suivant l'ordre logique d'une lettre de motivation : introduction, qualifications et expérience, compétences et atouts, motivations, conclusion avec formule de politesse.

1 Monsieur

2 Je maîtrise parfaitement les outils informatiques Word, Excel, et PowerPoint, que j'utilise au quotidien et j'ai de bonnes connaissances en anglais écrit et parlé. Je crois être organisée, discrète, et je sais garder le sourire même face aux attentes parfois pressantes des médecins de mon cabinet.

3 Je suis disponible pour commencer aussitôt que possible. Je vous remercie de l'intérêt que vous porterez à ma candidature et espère vous rencontrer lors d'un prochain entretien.

4 J'ai un BTS/diplôme de secrétariat et je travaille comme secrétaire médicale depuis près de deux ans. Je pense que mon profil correspond bien aux qualités que vous recherchez.

5 Je vous prie de bien vouloir agréer, Monsieur, l'expression de mes sentiments distingués.

6 Suite à votre annonce parue dans le journal Terre et Nature, je désirerais poser ma candidature au poste de secrétaire dans votre association.

7 Je suis vivement intéressée par le milieu associatif. Comme vous pouvez le voir sur mon CV, je fais partie d'une association de lutte contre l'analphabétisme. Je m'épanouis énormément en tant que bénévole et je souhaiterais maintenant faire bénéficier une autre association de mes compétences professionnelles. J'habite Toulouse et pourrais me rendre très facilement à votre association par les transports en commun.

Activité 1.3.5

Regardez à nouveau les annonces de l'activité 1.3.3. Choisissez-en une qui vous attire et rédigez une lettre de motivation pour y répondre.

C1.5 Le dossier de candidature

Pour postuler en France, on doit envoyer un « dossier de candidature », qui doit comporter une lettre de motivation et un CV.

Le but principal de la lettre de motivation est de présenter un projet personnel, et de donner ses motivations.

Une lettre écrite à la main est encore demandée dans certaines entreprises ou par des cabinets de recrutement qui font passer des tests psychologiques aux candidats et pratiquent la graphologie comme partie intégrante du processus de sélection.

Le CV doit :

- avoir une approche originale, succincte et percutante ;
- souvent contenir une photo (quoi que cette pratique soit aujourd'hui critiquée) ;
- annoncer le profil ou le projet professionnel en tout début.

Les employeurs ou les recruteurs n'utilisent que très rarement des formulaires tout prêts à remplir, et ne demandent pas de références écrites.

La demande d'emploi se fait par réponse à des annonces, mais « les candidatures spontanées » sont aussi très répandues. De plus en plus de recherches d'annonce et de demandes d'emploi se font par Internet.

Vous trouverez dans votre dictionnaire ou sur Internet de nombreuses formules pour rédiger les lettres de motivation et les CV.

Les néoruraux

Depuis quelques décennies, le phénomène de l'exode rural se renverse. Ce sont aujourd'hui les campagnes qui se peuplent au détriment des grandes villes, où la vie est devenue trop stressante. Ces néoruraux cherchent à retrouver un mode de vie plus agréable, loin de la pollution et des embouteillages. La généralisation des outils de communication, l'amélioration des infrastructures et les nouveaux modes de travail comme le télétravail ont largement favorisé ce développement. Vous allez, dans cette section, découvrir les expériences de Français qui, pour changer de vie ont décidé d'aller se mettre au vert.

Activité 1.3.6

A

Lisez le texte et répondez aux questions ci-contre.

L'exode des citadins à la campagne s'amplifie

Huit millions d'habitants des villes disent vouloir s'installer au vert. […]

Les villages français se repeuplent : ce phénomène constaté il y a une dizaine d'années ne cesse de s'amplifier. De plus en plus de citadins sont décidés à délaisser les embouteillages et les logements étroits pour le grand air et les vastes étendues de verdure. […] Il s'agit pour moitié de personnes actives et, parmi elles, près d'un quart envisagent à cette occasion une reconversion professionnelle. Bref, la qualité de vie avant la carrière. […]

Il y a d'un côté ceux qui aspirent à plus d'espace et investissent dans une maison avec piscine. « C'est la société barbecue où les liens sociaux sont structurés par la culture des vacances. La maison n'est plus seulement ouverte à la famille mais de plus en plus aussi aux amis », explique Jean Viard. Mais il y a des foyers plus modestes qui fuient la ville aux loyers trop chers et se réfugient dans les zones rurales, souvent défavorisées. « Dans des proportions variables, ces mouvements de population touchent l'ensemble du territoire », note le sociologue. En dix ans, quatre millions de Français ont changé de région.

Parallèlement, l'économie s'est déplacée, facilitée par le développement d'Internet et du TGV : les citadins ont implanté leur savoir-faire dans les campagnes où de nombreuses petites entreprises fleurissent. Les « rurbains » ont également investi les associations, selon Martin de la Soudière, autre chercheur au CNRS, spécialiste du milieu rural.

Auteur d'une étude sur les déplacements de populations dans le Jura et en Auvergne, il a par ailleurs constaté que nombre de citadins regagnaient les villages dont ils sont originaires. « Ce retour aux sources s'explique par le besoin de retrouver la famille au sens large, les parents mais aussi les oncles et tantes », avance-t-il. Pour ces « enfants du village », le retour au bercail n'est pas un problème. Mais pour les autres, la greffe est parfois difficile. « Cette cohabitation peut être à l'origine de tensions », admet Jean Viard. « Autrefois, les villageois se plaignaient d'être abandonnés, maintenant ils se sentent parfois envahis. »

D'autant que les citadins ne sont pas seuls à conquérir les villages. Belges et Britanniques continuent à s'y installer par milliers chaque année. Il est vrai que la campagne française reste l'une des moins chères d'Europe.

(Angélique Négroni, « L'exode des citadins à la campagne s'amplifie », *Lefigaro.fr*, 12 mai 2007, http://www.lefigaro.fr/france/20070512.FIG000000483_l_exode_des_citadins_a_la_campagne_s_amplifie.html, dernier accès le 8 avril 2008)

Vocabulaire

au vert à la campagne

les personnes actives les personnes qui ont un emploi

une reconversion professionnelle un changement de métier

fleurir se développer avec succès

CNRS (m.) le Centre national de la recherche scientifique (organisme national qui finance la recherche et encadre les chercheurs)

1. Dans quel sens le phénomène de l'exode vers les campagnes évolue-t-il ?
2. Les néoruraux sont-ils plutôt des retraités, des actifs ou les deux ?
3. Quels sont les deux types de néoruraux ?
4. Citez deux facteurs qui ont facilité le phénomène de l'exode rural vers les campagnes.
5. Expliquez l'expression « retour aux sources ».
6. Expliquez quelle conséquence ce phénomène peut avoir sur les villageois.

B

Parmi les raisons suivantes quelles sont les quatre qui poussent les citadins à s'installer à la campagne, selon le texte ?

1. rechercher la verdure ☐
2. fuir les contacts humains ☐
3. se reconvertir à l'agriculture ☐
4. retourner aux sources d'origine ☐
5. rechercher une meilleure qualité de vie pour toute la famille ☐
6. lutter contre les allergies ☐
7. acquérir une résidence secondaire ☐
8. avoir plus d'espace ☐

Activité 1.3.7

A

À partir de la bande dessinée ci-dessous, faites une liste de cinq avantages de la vie à la campagne.

L'éditeur

(Manu Larcenet et Jean-Yves Ferri, « L'éditeur », *Le retour à la terre, tome 1 : La vraie vie*, 2005, p.13)

B

À partir de la bande dessinée ci-dessous, donnez huit inconvénients de la vie à la campagne.

(Manu Larcenet et Jean-Yves Ferri, « Premiers échanges », *Le retour à la terre, tome 1 : La vraie vie*, 2005, p.27)

C

Et vous, que pensez-vous de la vie à la campagne ? Dites si vous êtes plutôt pour ou contre en 100 mots.

Dans le texte « L'exode des citadins à la campagne s'amplifie », vous avez rencontré des verbes au passé composé (p. ex. : « quatre millions de Français ont changé de région ») et à l'imparfait (p. ex. : « les citadins regagnaient les villes »). Dans les activités suivantes, vous aurez l'occasion de travailler l'utilisation du passé composé et de l'imparfait.

Activité 1.3.8

A

Lisez la bande dessinée ci-dessous et faites une liste de tous les verbes employés au passé composé ou à l'imparfait.

(Manu Larcenet et Jean-Yves Ferri, « Un Jour, Mariette et moi... », *Le retour à la terre, tome 1 : La vraie vie*, 2005, p.3)

B

Pour chaque verbe trouvé, dites si le verbe met l'accent sur le fait qu'il s'agit d'un point d'intérêt central dans l'histoire, ou du cadre descriptif.

G1.3 Le passé composé et l'imparfait

Le passé composé est utilisé pour :

1 décrire des actions ou raconter des événements, des faits qui forment les points essentiels d'une histoire :

Il faisait beau, les oiseaux chantaient, tu me regardais : j'ai ressenti un grand bonheur ! (C'est le fait de ressentir du bonheur qui est essentiel ici.)

2 exprimer qu'une action vient de se terminer, et qu'elle a un effet sur le présent :

J'ai travaillé toute la journée, je suis fatigué.

3 indiquer une action ponctuelle, longue ou courte, entièrement réalisée dans le passé :

J'ai étudié pendant quatre ans.

L'imparfait est utilisé pour :

1 donner les détails qui renforcent le point d'intérêt d'une histoire :

Il faisait beau, les oiseaux chantaient, tu me regardais : j'ai ressenti un grand bonheur ! (Le beau temps, le chant des oiseaux et le regard de l'être aimé forment les détails qui permettent de comprendre le point d'intérêt de l'histoire : ressentir du bonheur.)

2 indiquer une situation correspondant à une époque passée :

J'allais à l'école du village.

3 exprimer les circonstances, le cadre ou le contexte d'un événement :

Quand je suis arrivée à la maison, tout le monde regardait la télévision.

Activité 1.3.9

Lisez le texte suivant et mettez les verbes entre parenthèses au passé composé ou à l'imparfait.

« Nous avons fait le grand saut »

« Nous (claquer) la porte à la vie parisienne », se rappelle Frank Jouberton. « Nous (avoir) besoin de nature, d'air frais, de balades. [...] Nous (se remettre) totalement en question. Tous les deux à l'ANPE, parents de deux enfants, nous (vivre) des moments durs. Face à la difficulté de trouver un nouvel emploi dans le luxe, nous (choisir) finalement de partir à Rochefort, en Charente-Maritime, une région que nous (connaître) très bien pour y avoir passé de nombreuses vacances. Un de nos amis sur place nous (proposer) de nous associer pour le rachat d'une agence immobilière. Comme nous (avoir) quelques notions en la matière, nous (faire) le grand saut. Nous (investir) toutes nos économies et contracté un prêt. »

(Agnès Leclair, « Frank et Christine : Nous avons fait le grand saut », *Lefigaro.fr*, 12 mai 2007, http://www.lefigaro.fr/actualite/2007/05/14/01001-20070514ARTFIG90006-frank_et_christine_nous_avons_fait_le_grand_saut.php, dernier accès le 8 avril 2008)

Vocabulaire

à l'ANPE (f.) inscrit à l'Agence nationale pour l'emploi (c'est-à-dire : être sans emploi)

dans le luxe ici, dans l'industrie des produits de luxe

Activité 1.3.10

À partir des notes suivantes, rédigées par Cléa, une femme « revenue » à la terre, reconstituez sa biographie.

> Naissance dans un petit village, en Bourgogne. École du village jusqu'au lycée. Heureuse. Beaucoup d'ami(e)s. Obtention du bac en 1984. Départ pour Toulouse pour étudier un BTS en Commerce International. Grande ville, difficultés d'adaptation. Assez isolée. Tous les week-ends retour à la maison en train. Obtention BTS avec succès. Premier travail à Paris. Rencontre mari (employé dans la même entreprise). Vie ensemble pendant près de dix ans. Mariage. Naissance enfant l'année suivante. Appartement à Paris : petit. Décision de déménager. Retour en Bourgogne pour s'installer au vert. Achat maison. Décision de monter propre entreprise de vente de produits du terroir par Internet. Début du projet, il y a trois ans. Quelques difficultés au début. Peu d'expérience. Formation à distance. Maintenant, l'entreprise marche très bien et en résumé : amélioration nette de la qualité de vie.

Activité 1.3.11

Dites en 200 mots si vous êtes d'accord ou non avec la phrase suivante, extraite du texte « Vous êtes peut-être un créatif culturel... », et pourquoi :

> Ce qui compte, c'est la qualité de l'existence, ne pas perdre sa vie à la gagner.

Puisez vos arguments dans l'un ou plusieurs des textes étudiés dans cette session, et réutilisez des expressions que vous avez rencontrées. Par exemple vous pouvez évoquer le rapport entre le temps et l'argent, la qualité de la vie et la famille, les choix faits par les nouvelles tribus, ou vous servir de votre propre imagination.

Session 4 Bien dans sa peau

Alors que la vitesse est devenue la norme, une nouvelle recherche du plaisir apparaît peu à peu. Les Français veulent ralentir leur rythme pour mieux « profiter de la vie » et prendre soin d'eux, tout en essayant de trouver un équilibre entre leur corps et leur esprit. Dans cette session, vous verrez ce qu'ils font pour se sentir bien dans leur peau et pour combattre le stress de la vie quotidienne. Pour certains, aller se reposer dans un centre de thalassothérapie ou faire une cure est la meilleure solution. Pour d'autres se ressourcer en faisant une activité physique, comme la marche, est préférable. Pour d'autres, enfin, c'est la question de l'alimentation saine qui est la plus importante, pour se maintenir en bonne santé.

Points clés

- G1.4 Donner des conseils et faire des propositions
- C1.6 Les mots d'origine étrangère dans la langue française
- O1.5 Les préfixes
- O1.6 Les suffixes
- O1.7 Proverbes et dictons
- O1.8 Exprimer les sensations
- O1.9 Convaincre et persuader

La thalassothérapie

De plus en plus de Français et Françaises s'adonnent chaque année aux plaisirs de la thalasso. Désormais très diversifiés, les soins proposés tentent de conquérir une clientèle désireuse de se « refaire » une santé.

Activité 1.4.1

A

Faites correspondre les segments de phrases pour reconstituer des expressions sur le thème « bien dans sa peau ».

1 En achetant cette voiture électrique,	(a) je me suis fait plaisir et j'ai fait un acte écologique.
2 Dans ce village de vacances,	(b) j'ai senti l'immense joie de dominer tout le paysage.
3 Depuis que je fais du yoga,	(c) je me suis bien reposé(e) grâce aux soins d'hydrothérapie.
4 En arrivant au sommet de la montagne	(d) de faire une vraie remise en forme.
5 Mon séjour en thalassothérapie m'a permis	(e) je retrouve chaque année la tranquillité.
6 Pendant ma cure à la Roche-Posay,	(f) je ressens une impression d'équilibre, de bien-être intérieur.

B

Et vous, que faites-vous pour vous détendre et pour prendre soin de vous ? Expliquez en environ 50 mots.

Vous allez maintenant travailler sur deux textes et apprendre à reconnaître deux approches stylistiques différentes.

Activité 1.4.2

A

Lisez les deux textes et dites quel en est le thème commun.

Le tourisme thermal connaît une érosion ... au contraire de la thalassothérapie

Alors que le nombre de curistes dans les établissements thermaux est globalement en régression depuis plus de dix ans, ceux de thalassothérapie connaissent un développement continu. La France compte une cinquantaine d'instituts, ce qui en fait le leader mondial. La clientèle est composée à 70% de femmes, à 50% de Franciliens et à 85% de personnes appartenant aux CSP + (ménages aisés). Comme pour le thermalisme, la durée des cures tend à diminuer.

Le stress, le surmenage et le désir de mincir sont les principales motivations des curistes. Les Français profitent de leur temps libre pour entretenir leur santé et leur condition physique. Beaucoup recherchent aussi une prise en charge physique et psychologique leur permettant d'échapper le temps d'un séjour aux responsabilités qu'ils doivent assumer dans leur vie quotidienne. [...]

Pour répondre aux demandes nouvelles, les stations ont diversifié leur offre (cures antitabac ou d'amaigrissement...) et proposent des activités de toute nature. De curatifs, les séjours ont tendance à devenir préventifs. La fréquentation hors saison (printemps et automne) tend à s'accroître, de même que la part des cures effectuées en hébergement. Celles qui se déroulent à l'étranger (bassin méditerranéen, Europe de l'Est) attirent de plus en plus de Français. [...]

(Gérard Mermet, *Francoscopie 2007*, pp.484–85)

Vocabulaire

Franciliens habitants de l'Île de France (région autour de Paris)

cherchent une prise en charge physique et psychologique veulent qu'on s'occupe de leur corps et de leur moral

Les nouvelles séductions de la thalassothérapie

Une cure minceur sur mesure ? Une parenthèse antistress du mardi au jeudi ? Un week-end relaxant en couple ? Choisissez ce qui vous chante. L'institut de thalassothérapie ne met plus tous ses hôtes à la même enseigne. Certaines offres récentes le confirment tels le coaching et le suivi postcure par Internet. Le message est clair : votre cas est unique. Sport, nutrition, techniques antistress… on vous conseille donc selon votre profil, quitte à être examiné à la loupe lors d'un bilan high-tech. […]

Pour mieux séduire, de nombreux instituts se rénovent de fond en comble comme ceux d'Accor Thalassa Oléron et de Thalazur

Royan. […] On y évolue dans un décor cosy et minimaliste teinté de subtiles touches orientales avant de s'abandonner aux soins locaux, sur un lit de pierre chauffant. La Thalassothérapie de Carnac […] ouvrira un spa marin, prolongement naturel de son relooking élégant et contemporain déjà visible dans les espaces esthétique, fitness et restauration. […]

Pas le temps de faire une vraie thalasso ? Les centres compatissent. À trois heures de Paris, Accor Thalassa Quiberon prend, en pension complète diététique, les cadres hyperactifs. Juste quatre jours, le temps d'un City break pour recharger les batteries. Le Richelieu Île de Ré organise trois jours de face à face avec un spécialiste tenu au secret professionnel, pour doper intelligemment les performances en management (Rendez-vous manager). À moins de préférer la nouvelle cure Spa coaching sur 5 jours. Une vraie mise au point pour retrouver la ligne, l'énergie, l'estime de soi avec notamment des conférences sur le stress, la nutrition et des stratégies de « mieux-vivre ». […]

(Agnès Rogelet, « Les nouvelles séductions de la thalassothérapie », *Lefigaro.fr Madame*, 8 mars 2007, http://madame.lefigaro.fr/beaute/en-kiosque/261-les-nouvelles-seductions-de-la-thalassotherapie, dernier accès le 8 avril 2008)

Vocabulaire

ce qui vous chante (fam.) ce qui vous plaît

à la même enseigne dans la même catégorie

à la loupe de très près

de fond en comble entièrement, de haut en bas

doper (arg.) stimuler

B

Quel texte trouvez-vous le plus sérieux, et pourquoi ? Comment désigneriez-vous les caractéristiques stylistiques de ce texte ?

C

Parmi les trois propositions suivantes, cochez celle qui décrit le mieux le style de l'article du *Figaro Madame*.

1 Texte à caractère publicitaire ☐

2 Texte littéraire ☐

3 Texte journalistique ☐

D

Voici quelques idées clés abordées dans le texte de *Francoscopie*. Retrouvez des expressions de sens proche dans le texte du *Figaro Madame* et remplissez le tableau en suivant l'exemple.

Texte de *Francoscopie*	Texte du *Figaro Madame*
Le stress, le surmenage, le désir de mincir sont les principales motivations des curistes.	Une cure minceur sur mesure ? Une parenthèse antistress… ? Un week-end relaxant en couple ?
Les Français profitent de leur temps libre pour entretenir leur santé.	
De curatifs, les séjours ont tendance à devenir préventifs.	
Pour répondre aux demandes nouvelles, les centres ont diversifié leur offre … et proposent des activités de toute nature.	

E

Cochez, parmi les propositions suivantes, les quatre techniques stylistiques utilisées dans l'article du *Figaro Madame* pour attirer l'attention du lecteur.

1 Des phrases interrogatives en début de paragraphe ☐

2 Des citations de magazines scientifiques ☐

3 L'impératif ☐

4 Des statistiques pour soutenir les thèses annoncées ☐

5 Le pronom « vous » ☐

6 L'utilisation de mots anglais ☐

7 Des citations d'autorités médicales ☐

C1.6 Les mots d'origine étrangère dans la langue française

Si l'emploi de mots anglais dans la langue française contemporaine est souvent critiqué, ce n'est pourtant pas un phénomène nouveau. En effet, l'histoire de la langue française montre qu'elle a toujours été influencée par d'autres langues, régionales ou étrangères.

La langue française est principalement dérivée du latin et du gaulois. Dès le cinquième siècle, elle a connu des influences germaniques, puisque le pays doit son nom même à un peuple germanique, les Francs. Ils ont apportés des mots aussi courants que « jardin », « riche » et « danser ».

Le fait que les mots importés d'un pays donné appartiennent souvent à des domaines particuliers témoigne du lien étroit qui existe entre la langue et l'histoire. Par exemple, les Vikings ont transmis au français du vocabulaire lié au domaine de la mer, comme « flotte » et « vague ». Au Moyen Âge, les principales découvertes scientifiques ont été faites par les arabes, qui ont donné à cette époque des termes tels que « chiffre », « zéro » ou « algèbre » à la langue française. Plus tard, à la Renaissance, c'est de l'italien que sont venus des mots des domaines des arts (« dessin », « virtuose », « arpège »), de la table (« festin », « banquet ») ou de la guerre (« sentinelle », « alerte », « soldat »). Ce phénomène se poursuit donc avec les emprunts plus récents

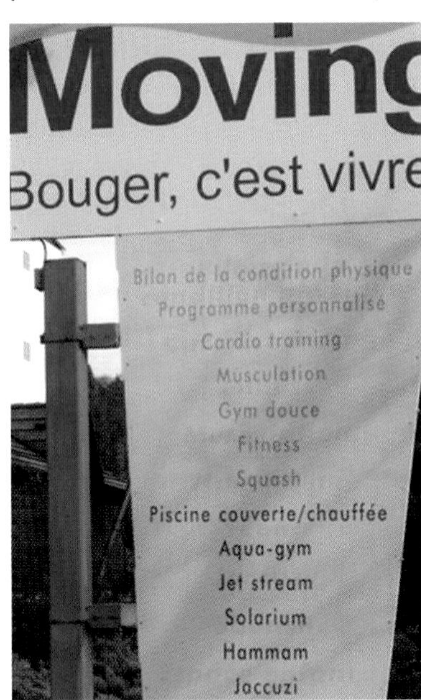

à l'anglais, principalement dans des domaines comme la technologie (« l'email », « le blog »), le sport (« un match », « le golf », « le football », « la fitness », « le squash »), ou encore l'économie (« duty-free », « low cost »).

En France, la défense de la langue française est l'une des missions de l'Académie française, et de la Délégation générale à la langue française et aux langues de France, qui fait partie du Ministère de la Culture. Plusieurs lois régissent l'emploi du français, qui est par exemple la seule langue autorisée dans les documents officiels. Des commissions d'experts sont chargées d'inventer des mots français pour désigner les objets et les concepts qui apparaissent dans notre société. Des listes de vocabulaire officiellement reconnu sont publiées régulièrement, mais elles ne sont pas nécessairement respectées par la population !

(D'après Henriette Walter, *Langue française terre d'accueil*, http://www.culture.gouv.fr/culture/dglf/francais-aime/Semaine_2002/TERRE.htm, dernier accès le 22 avril 2008)

Activité 1.4.3

A

Relisez les deux textes et relevez tous les mots d'origine anglaise que vous pouvez identifier.

B

Cherchez maintenant dans votre dictionnaire les mots français équivalents aux mots anglais que vous avez trouvés dans l'étape A.

Au cours des deux prochaines activités, vous travaillerez sur les préfixes et les suffixes.

Activité 1.4.4

A

Cherchez dans le texte « Les nouvelles séductions de la thalassothérapie » trois mots commençant par le préfixe « re- » et donnez la traduction qui convient.

B

Dans le texte « Le tourisme thermal connaît une érosion ... au contraire de la thalassothérapie » vous avez rencontré le mot « surmenage », qui est traduit par *overwork*. Cherchez dans votre dictionnaire trois autres mots commençant par « sur- », et dont la traduction en anglais commence par *over-*, et trois mots où « sur- » est traduit différemment.

C

Trouvez dans votre dictionnaire trois mots commençant par le préfixe « dé- » qui traduit l'idée de gêne, de manque ou d'empêchement.

O1.5 Les préfixes

Quand vous lisez ou entendez du français, les préfixes peuvent vous servir de guides. Ces petits morceaux de mots placés à l'avant d'autres mots ont tous un sens, et peuvent vous aider à deviner le sens global du mot dont ils font partie, même si vous ne l'avez jamais rencontré auparavant. Par exemple, comme vous venez de voir, le préfixe « sur- » implique une idée d'excès, et il est souvent traduit par *over-* ; et le préfixe « télé- » signifie « loin », par exemple dans le mot « télétravail ».

Voici d'autres préfixes à retenir, qui apparaissent dans cette session.

1 Le préfixe « ant(i)- » signifie « qui exerce une action contre », par exemple :

anti-inflammatoire *anti-inflammatory*

antitabac *antismoking*

Dans ces deux exemples, « ant(i) » se traduit directement en anglais, mais les équivalents anglais peuvent varier :

antalgique *pain-reducing*

centre anticancéreux *cancer research centre*

antichoc *shockproof*

2 Le préfixe « re- », que vous avez identifié dans les textes sur la thalassothérapie, a de nombreuses significations. En voici quelques-unes :

(a) l'idée de nouveauté, d'amélioration

rénover, relooker, réviser, se retrouver, se rétablir

(b) l'idée de faire de nouveau

repeindre, refaire, recharger, relire, rouvrir

(c) l'idée de revenir en arrière

redonner, reporter, reprendre, replacer, se retourner, revenir, redevenir, redécouvrir

3 Finalement, notez au passage le préfixe grec « thalasso- » qui veut dire « mer », dans le mot « thalassothérapie ».

Activité 1.4.5

Cherchez dans le texte « Le tourisme thermal connaît une érosion ... au contraire de la thalassothérapie » les noms qui correspondent aux verbes, pour remplir le tableau suivant. Notez le genre (masculin ou féminin) de chaque mot. Remarquez-vous une relation entre le suffixe et le genre ?

Verbes	Noms correspondants (et genre)
régresser	régression (f.)
développer	
surmener	
motiver	
traiter	
amaigrir	
fréquenter	
héberger	

O1.6 Les suffixes

Tout comme les préfixes, les suffixes peuvent vous aider à comprendre des mots que vous ne connaissez pas et augmenter votre vocabulaire. Par exemple, le suffixe « -iste » peut indiquer l'appartenance à un groupe (« altermondialiste », « extrémiste ») ou une profession (« journaliste », « voyagiste »).

Plus spécifiquement relié à cette session, le suffixe « -thérapie » veut dire traitement médical en grec, et se retrouve dans de nombreux mots comme « hydrothérapie » (traitement par l'eau), « phytothérapie » (traitement par les plantes), « aromathérapie » (traitement par les odeurs), etc.

Certains suffixes sont utilisés pour former des noms à partir de verbes. Il est utile de les noter et de mémoriser leur genre.

1 « -age » (noms masculins)

surmener → le surmenage

doper → le dopage

hériter → l'héritage

2 « -ment » (noms masculins)

héberger → un hébergement

renseigner → un renseignement

3 « -sion » (noms féminins)

progresser → une progression

s'évader → une évasion

4 « -tion » (noms féminins)

améliorer → une amélioration

diminuer → une diminution

Dans l'activité suivante, vous allez travailler sur les locutions idiomatiques, ces expressions « toutes faites » qui sont parfois amusantes, et qui enrichissent votre vocabulaire.

Activité 1.4.6

A

Lisez les expressions idiomatiques suivantes, qui ont en commun le mot « peau », et trouvez leur synonyme. Puis donnez une traduction de chaque expression idiomatique en anglais.

1 Je ne peux pas me mettre dans la peau du personnage.	(a) Je suis follement amoureux d'elle/amoureuse de lui.
2 Je me sens mal dans ma peau.	(b) Je ne lui envie pas sa place.
3 Je l'ai dans la peau.	(c) Je n'arrive pas à m'approprier ce rôle.
4 Je ne voudrais pas être dans sa peau.	(d) Je suis triste et mal à l'aise avec moi-même.

B

Voici, accompagnés de leur interprétation en français, une série de proverbes. Trouvez une traduction en anglais, de préférence idiomatique.

1 Il ne faut pas vendre la peau de l'ours avant de l'avoir tué.

(Il ne faut pas compter recevoir des bénéfices avant d'avoir accompli les actes nécessaires à leur réalisation.)

2 Charité bien ordonnée commence par soi-même.

(Il faut commencer par s'occuper de soi-même avant de penser aux autres.)

3 À quelque chose malheur est bon.

(Un malheur peut avoir des conséquences positives.)

O1.7 Proverbes et dictons

Les proverbes et dictons étrangers ne sont pas toujours faciles à comprendre. Même deux pays où l'on parle la même langue peuvent avoir une culture, un climat ou des habitudes culinaires sensiblement différentes. Certains dictons météorologiques français tels que « Noël au balcon, Pâques au tison » (s'il fait beau à Noël, il fera froid à Pâques) peuvent sembler assez mystérieux en Afrique francophone. Par contre « La force du léopard est dans la forêt, la force du crocodile est dans l'eau » n'aura pas le même impact à Montréal ou à Paris qu'au Sénégal.

Quant il s'agit de traduire un proverbe, la tâche devient encore plus difficile. Généralement parlant, la sagesse populaire est souvent semblable d'une nation à l'autre. Les jeux de mots, par contre, et les jeux de sonorités – rimes ou allitérations par exemple – sont souvent impossibles à rendre d'une langue à l'autre. Une traduction littérale fait souvent perdre tout son charme à un dicton. Quelquefois, avec un peu de chance, un équivalent proche existe, comme dans le cas du dessin ci-dessous (*Desperate ills call for desperate remedies*) ou bien, par exemple, « De deux maux il faut choisir le moindre » (*One must choose the lesser of two evils*).

Les parties du corps sont souvent citées dans les dictons et il est toujours intéressant de comparer leur utilisation en anglais et en français. Il est rare que les deux versions correspondent exactement. Comparez vous-même, tout d'abord à partir du français.

Bon pied, bon œil *As fit as a fiddle*

Loin des yeux, loin du cœur *Out of sight, out of mind*

Il ne faut pas avoir les yeux plus grands que le ventre *You shouldn't bite off more than you can chew*

Et maintenant, à partir de l'anglais.

You scratch my back and I'll scratch yours Un petit service en vaut un autre

Don't cut off your nose to spite your face Ne sciez pas la branche sur laquelle vous êtes assis

Si ce genre de comparaison vous intéresse et si vous voulez augmenter votre collection d'expressions idiomatiques, regardez dans un dictionnaire les traductions des expressions qui impliquent différentes parties du corps. Cherchez du côté anglais et du côté français. Vous aurez certainement des surprises.

Aux grands maux, les grands remèdes

La marche

Pour se détendre, beaucoup de Français font du sport ou participent à des activités en extérieur. Vous allez voir dans la section suivante en quoi la marche aide les Français à se sentir bien dans leur peau.

Activité 1.4.7

A

Lisez la première partie du texte jusqu'à « ... kilomètres qui mènent à Compostelle » et faites correspondre les phrases (1 à 5) qui figurent à la page 62.

Marcher pour se (re) trouver

En groupe ou en solo, dans de lointaines contrées ou en bas de chez eux, de plus en plus de Français s'adonnent à la marche. Une manière douce de cajoler son corps en purifiant son esprit. [...]

Qu'il s'agisse des sentiers de Compostelle ou des rues méconnues de la capitale, des contreforts himalayens ou des pistes désertiques du Sahara, le monde est aujourd'hui devenu le terrain de jeu de millions de marcheurs, randonneurs contemplatifs, aventuriers en quête de dépassement de soi ou, tout simplement, promeneurs du dimanche. « On dénombre aujourd'hui quelque 5 millions de randonneurs en France, pratiquant une marche soutenue, au moins une heure par semaine », observe Jean-Claude Burel, président de la Fédération française de la randonnée pédestre, qui fête cette année son 60e anniversaire. « Plus largement, on estime que l'Hexagone compte 15 millions de marcheurs. » [...]

Un chiffre qui place la randonnée pédestre au premier rang des pratiques sportives nationales. Car tel est le constat : dans nos sociétés occidentales ultra-sédentarisées, la marche est devenue un sport à part entière. « Si elle n'est plus au cœur des modes de déplacement, même pour les trajets les plus élémentaires, la marche triomphe comme activité de loisir », remarque l'anthropologue David Le Breton dans son *Éloge de la marche*. Comme si le citadin stressé avait oublié ce geste, ô combien primitif, qu'est celui de poser un pied devant l'autre. « Bien au-delà des bienfaits évidents pour la santé, cette pratique est un fabuleux moyen de se réapproprier son corps », constate le botaniste Yves Paccalet, auteur d'un essai réjouissant sur *Le Bonheur en marchant*.

Dans sa nouvelle acception, la marche ne renvoie ainsi plus à cette image vieillotte du pèlerin pénitent, ruisselant de sueur et de larmes. Bien au contraire. Aujourd'hui, marcher se conjugue avec les notions de bien-être, de liberté, de jouissance, d'accomplissement de soi. Qu'il chemine sur quelques-uns des 180 000 kilomètres de sentiers balisés que compte le pays ou au fin fond d'une vallée himalayenne, le marcheur du XXIe siècle cherche avant tout à atteindre... lui-même : « Marcher, c'est retrouver son instinct primitif, sa place, sa vraie position, son équilibre mental et physique », disait Jacques Lanzmann, écrivain et parolier, grand amateur de voyages. Un constat que n'infirmeront pas les pèlerins de plus en plus nombreux qui arpentent les centaines de kilomètres qui mènent à Compostelle. [...]

« Sur la route, j'ai la sensation de réconcilier esprit, corps et âme, d'accéder à une certaine clairvoyance », décrit Priscilla Telmon, voyageuse et réalisatrice de documentaires. « La marche est devenue un réel besoin pour moi. Elle engendre un sentiment d'harmonie entre physique et mental, un état de plénitude, comme sous l'effet d'une drogue », ajoute Yves Paccalet. [...]

« Voyager à pied est le meilleur moyen de découvrir un pays, ses habitants, sa culture, sa langue, sa cuisine... », explique Delphine Choquet, assistante de direction dans le Sud-Ouest, tout juste rentrée d'une randonnée en groupe au Népal. Dans ce contexte de circuit organisé, la marche n'est plus vraiment un plaisir solitaire. « C'est la rançon à payer lorsque l'on n'a pas le temps de préparer son voyage. Mais randonner à plusieurs est loin d'être désagréable : cela permet de partager ses émotions, sans empêcher de s'isoler pour autant », fait remarquer la randonneuse de 34 ans. Seul, en amoureux ou en groupe, sur des chemins connus ou des pistes inexplorées. [...]

(Catherine Robin, « Marcher pour se (re) trouver », *L'Express.fr*, 28 mars 2007, http://www.lexpress.fr/voyage/destinations/dossier/rando/dossier.asp, dernier accès le 8 avril 2008)

Vocabulaire

en quête de dépassement de soi qui cherchent à tester leurs limites

ultra-sédentarisées (f.pl.) qui ne bougent pas du tout

ô combien extrêmement

Note culturelle

les sentiers de Compostelle les routes, venant de nombreux points d'Europe, que suivent chaque année les pèlerins pour aller à Saint-Jacques de Compostelle en Espagne

1	De plus en plus de Français	(a)	un sport à part entière.
2	En France, on comptabilise	(b)	s'adonnent à la marche.
3	La randonnée pédestre arrive	(c)	quelque 5 millions de randonneurs et 15 millions de marcheurs.
4	Les randonneurs peuvent sillonner jusqu'à	(d)	au premier rang des pratiques sportives nationales.
5	La marche est devenue	(e)	180 000 kilomètres de sentiers balisés.

B

Faites la liste des différents termes utilisés pour décrire un marcheur, que vous trouverez dans le deuxième paragraphe.

C

Donnez les raisons pour lesquelles chaque personne, dont les témoignages sont rapportés dans le texte, s'adonne à la marche. Remplissez le tableau.

Yves Paccalet, botaniste	
Jacques Lanzmann, écrivain et parolier	
Priscilla Telmon, voyageuse et réalisatrice de documentaires	
Delphine Choquet, assistante de direction dans le Sud-Ouest	

D

Dans chacune des quatre phrases suivantes, identifiez le mot qui ne correspond pas aux propos des personnes interviewées.

Exemple

La marche engendre un sentiment de/d' (harmonie – cohésion – équilibre) entre physique et mental.

→ *cohésion*

1 Marcher, c'est retrouver son instinct (enfantin – sauvage – primitif).

2 L'une de mes expériences les plus (fortes – émouvantes – déroutantes) a été une marche que j'ai accomplie pour la paix.

3 La marche est pour moi comme un/une (besoin – boisson – drogue).

4 J'ai la/l' (certitude – impression – sensation) de réconcilier esprit, corps et âme.

O1.8 Exprimer les sensations

Pour exprimer vos sensations, vous pouvez utiliser diverses expressions. Vous en avez déjà découvert quelques-unes dans le texte sur la marche. Voici d'autres exemples :

- « donner/provoquer/procurer un sentiment de + nom »

  Ce sport me procure/provoque un sentiment de bonheur/joie.

- « cela me + sembler/paraître + adjectif »

  Cela me semble étonnant.

- « cela me touche/m'émeut/me trouble »

  Cela nous touche énormément.

- « être sensible/réceptif à + nom »

  Je suis sensible/réceptif à la musique.

- « se laisser porter/envahir/pénétrer par + nom »

  Elle se laisse trop facilement envahir par la peur.

- « avoir l'impression/la sensation de + verbe »

  Vous n'avez pas l'impression de rajeunir ?

- « être ému/frappé/saisi/bouleversé par + nom »

  Nous avons été saisis par la puissance de l'orage.

  Je suis bouleversé par toute cette beauté.

- « éprouver du plaisir à + verbe »

  J'éprouve du plaisir à faire du sport.

- « éprouver/ressentir une impression de + nom »

  J'éprouve une impression de joie.

  Il a ressenti une impression de liberté.

  Vous n'avez pas ressenti une impression de liberté ?

- « ça me rend + adjectif »

  Ça me rend triste.

  Ça me rend heureux/heureuse.

  Ne lui parle pas de sa jeunesse ; ça le rend mélancolique.

Activité 1.4.8

Vous arrivez au sommet d'une longue ascension dans des montagnes superbes. Rapportez vos sensations en quatre ou cinq phrases, en utilisant certaines des expressions étudiées ci-dessus.

Nature, santé, plaisir dans nos assiettes

Depuis quelques décennies, les consommateurs veulent découvrir de nouveaux goûts et se faire plaisir, tout en faisant attention à leur santé. La section suivante se concentre sur la consommation de produits « bio », cultivés sans produits chimiques.

Activité 1.4.9

A

Lisez le texte ci-dessous. Pour chacun des trois paragraphes, écrivez une seule phrase qui exprime le sens général de ce paragraphe.

> Les produits « bio », pour « biologiques », connaissent un véritable succès. Œufs, viandes, céréales, fruits. Les produits bio sont partout ! En quelques années, ils ont envahi les étals des marchés et la grande distribution. Crise de la vache folle et autres scandales alimentaires, pénétration de la malbouffe par le biais de la mondialisation, sont des phénomènes qui ne sont certainement pas étrangers à ce succès rapide.
>
> Les consommateurs sont de plus en plus attentifs à leur bien-être, et leur première motivation d'achat de produits bio est le souci de santé. Ils aspirent à une alimentation saine, naturelle. La quête de goût authentique et le souci de l'environnement sont aussi des valeurs mises en avant par les personnes qui achètent du bio.
>
> Il est de plus en plus tentant d'opter pour ces aliments 100% naturels. Des garanties « sans OGM » et « sans pesticides » sont affichées partout. Il existe de plus en plus de choix et de variété à des prix plus abordables. Mais quels sont leurs bénéfices santé ? Sont-ils meilleurs au goût ?

Vocabulaire

la malbouffe (fam.) la mauvaise alimentation (considérée comme caractéristique de notre époque d'alimentation hyperindustrialisée)

OGM (m.pl.) organismes génétiquement modifiés

B

Êtes-vous consommateur ou consommatrice de produits bio ? Expliquez pourquoi (ou pourquoi pas) en une phrase ou deux.

Activité 1.4.10

A

Dans le texte qui suit, le Dr Serge Fauconnet, nutritionniste dans un hôpital de campagne, nous donne ses conseils pour une alimentation saine. Lisez le texte et faites une liste des recommandations que donne l'auteur.

> Aucune enquête sérieuse n'a encore confirmé que les produits bio étaient meilleurs pour la santé, ou meilleur au goût. Ce que je conseillerais plutôt de faire, c'est de manger équilibré, de varier les aliments et boire beaucoup d'eau. Pour se maintenir en bonne santé, il faudrait consommer le plus de produits naturels possibles. C'est ce que les industriels appellent la « naturalité ». D'où la grande vogue du bio et des produits végétaux. Je recommanderais donc le retour à la tradition et aux produits du terroir, en cuisinant des produits régionaux et saisonniers dans la mesure du possible. Vous devriez aussi essayer de ne pas grignoter entre les repas. Il vaudrait mieux manger trois à quatre repas légers dans la journée. Vous pourriez aussi boire des tisanes à base de plantes qui sont très efficaces pour la digestion. Enfin, bien évidemment, il faut faire de l'exercice. Il est recommandé de marcher au moins 20 minutes par jour. En ce qui concerne les produits bio, si vous êtes adeptes, je vous recommanderais de bien vous assurer qu'ils sont estampillés par le logo vert et blanc, marque de l'agriculture biologique. Vous devriez vous les procurer de préférence dans les fermes et sur les marchés.

B

Soulignez dans le texte les expressions utilisées pour donner des conseils.

G1.4 Donner des conseils et faire des propositions

Parmi les conseils du Dr Fauconnet, vous avez relevé des verbes comme :

- Je vous recommanderais...
- Je vous conseillerais...
- Il faudrait...
- Il vaudrait mieux...

Vous pouvez aussi utiliser « devoir » au conditionnel pour donner des conseils et dire aux gens ce qu'ils devraient faire.

Elle **devrait** faire une cure de thalassothérapie.

*She **should** undertake a course of sea-water treatment.*

Vous **devriez** arrêter de fumer si vous avez des problèmes respiratoires.

*You **ought** to stop smoking if you've got respiratory problems.*

« Devoir » au conditionnel peut aussi s'utiliser pour exprimer ce qui est idéal en théorie.

On **devrait** manger cinq fruits et légumes par jour.

*Everyone **should** eat five portions of fruit and veg a day.*

« Vouloir » est utilisé au conditionnel pour exprimer un souhait.

Tu **voudrais** mettre la table, s'il te plaît ?

***Would** you lay the table, please?*

Je **voudrais** que tu m'écoutes, pour une fois !

***Would** you listen to me, for once!*

Le conditionnel de « pouvoir » est utile pour faire des suggestions ou des propositions sans créer l'impression de donner des ordres.

Vous **pourriez** ouvrir la fenêtre ? Ça ne sent pas très bon ici.

***Could** you open the window? It doesn't smell very nice in here.*

Elle est extrêmement occupée en ce moment, mais vous **pourriez** peut-être l'avoir si vous téléphonez très tôt.

*She's very busy at the moment, but you **might** catch her if you phone very early.*

Activité 1.4.11

A

Voici quelques commentaires déposés dans un blog, en réponse à la question : « Êtes-vous convaincus par les vertus du bio ? » Lisez le blog et dites qui est convaincu par les vertus du bio.

Jeudi, 12 juin

Oui, moi je suis convaincue que les fruits et légumes bio sont réellement meilleurs au goût, il n'y a rien à dire !!!!!! En ce qui concerne les céréales du petit déj, pareil.

Posté par Babel à 09.51 | Lien permanent | Commentaires (5)

Je ne pense pas qu'une nourriture 100% naturelle existe vraiment, moi je suis persuadé que c'est plutôt une fumisterie qui vise à faire payer des aliments plus cher.

Posté par Pluto à 09.57 | Lien permanent | Commentaires (2)

Je mange essentiellement bio depuis pas mal d'années. Je ne suis jamais malade. Je suis entièrement convertie !

Posté par Clémentine à 11.23 | Lien permanent | Commentaires (1)

Ça ne veut rien dire manger bio. Le problème c'est qu'il faut manger équilibré, et puis c'est tout dans la tête. C'est ma conviction !

Posté par Caspar à 12.07 | Lien permanent | Commentaires (2)

Vocabulaire

petit déj (m.) (abrév. fam.) petit déjeuner

une fumisterie (fam.) une absurdité

B

Relevez les quatre expressions utilisées par les blogueurs pour exprimer leurs convictions.

C

Composez un bref message pour donner un conseil à chacun de ces blogueurs. Pour cela, mettez les infinitifs à la forme qui convient.

1 Cher Babel, vous (devoir) faire un test en aveugle, pour savoir si vraiment les produits bio ont un meilleur goût que les autres.

2 Salut Pluto, moi, je vous (conseiller) de lire quelques articles scientifiques pour vous informer, avant de juger.

3 Chère Clémentine, vous (pouvoir) peut-être mettre sur le blog un de vos menus préférés ?

4 Caspar, tout le monde (devoir) penser comme vous !

O1.9 Convaincre et persuader

Dans le blog, vous avez trouvé des expressions pour convaincre. En voici d'autres :

- « je suis convaincu(e)/persuadé(e)/certain(e)/sûr(e) + que » (suivi de l'indicatif, et jamais du subjonctif, car justement, c'est une certitude, selon la personne qui parle)

  Je suis persuadé(e) qu'il a raison.

- « je vous assure/jure + que » (aussi suivi de l'indicatif)

  Elle nous assure toujours que les cures sont efficaces.

- « être convaincu(e)/persuadé(e)/certain(e)/sûr(e) + de + nom »

  Le docteur est persuadé de l'efficacité de la marche.

- « c'est certain/sûr/indéniable + que » (suivi de l'indicatif)

  C'est certain que les produits bio sont meilleurs pour la santé.

Activité 1.4.12

Un(e) de vos ami(e)s souffre de surmenage. Il/elle a besoin de vacances pour se refaire une santé. Regardez les annonces ci-dessous et rédigez une lettre de 200 mots pour lui conseiller une des solutions proposées. Utilisez, autant que possible les structures vues dans cette session.

Vacances aventure en voyages organisés à Sousse en Tunisie avec Tourisme Méditerranée

Tourisme Méditerranée vous propose de vous initier en toute sécurité à la voltige, au plaisir de jouer avec l'espace au grand air et de découvrir un nouveau sport-loisir d'exception sans aucune préparation physique requise au préalable.

Séjour/Randonnée dans la Drôme, en Provence avec le club Voyages et Détente

Plusieurs thèmes de randonnées au choix, avec un guide de randonnée agréé. Visite guidée des plus beaux villages provençaux sur réservation.

Le bien-être est au rendez-vous à chaque instant de la journée : restaurant avec cuisine traditionnelle et spécialités provençales, hammam et massage relaxant aux huiles essentielles après l'effort.

Séjour en thalassothérapie à Biarritz sur la côte Atlantique avec ThalassoTours

Pour retrouver la détente et chasser le stress, séjour de remise en forme en hôtel 4 étoiles.

Plongez dans l'une des plus belles piscines de la côte Atlantique et découvrez les bienfaits tonifiants, relaxants ou amincissants de la gym aquatique.

Session 5 Révision

Voici une liste des principaux points que vous avez étudiés tout au long de cette unité.

Cochez la case correspondante pour indiquer si vous vous sentez vraiment capable de les mettre en pratique.

Si vous n'êtes pas sûr(e) de pouvoir mettre en pratique certains de ces points, revoyez les points clés correspondants et refaites les activités qui leur sont associées.

Je sais…	Oui	Non	Points clés	Activités
Exprimer la fréquence	☐	☐	• G1.1 L'expression de la fréquence	• 1.1.3
Comprendre et analyser la flexibilité au travail	☐	☐		• 1.1.8 • 1.1.9 • 1.1.10
Exprimer la proportion	☐	☐	• O1.2 Exprimer la proportion	• 1.2.3 • 1.2.4
Décrire des statistiques	☐	☐	• O1.3 Décrire des statistiques	• 1.2.5 • 1.2.6
Exprimer la durée	☐	☐	• G1.2 Exprimer la durée : « ça fait ... que, il y a ... que, depuis ... (que) »	• 1.2.11
Comprendre et analyser les effets de la réduction du temps de travail	☐	☐	• C1.1 La réduction du temps de travail	• 1.2.9 • 1.2.10 • 1.2.12
Rédiger une lettre de motivation et un CV	☐	☐	• C1.5 Le dossier de candidature	• 1.3.4 • 1.3.5
Exprimer les actions passées	☐	☐	• G1.3 Le passé composé et l'imparfait	• 1.3.8 • 1.3.9 • 1.3.10
Exprimer les sensations	☐	☐	• O1.8 Exprimer les sensations	• 1.4.7 (D) • 1.4.8
Utiliser le conditionnel de « devoir », « vouloir » ou « pouvoir » pour donner des conseils	☐	☐	• G1.4 Donner des conseils et faire des propositions	• 1.4.10
Exprimer la conviction	☐	☐	• O1.9 Convaincre et persuader	• 1.4.11 (B) • 1.4.12

Corrigés

Session 1

Activité 1.1.1

A

Voici des mots et expressions possibles :

- **Stress :** travail, piles de dossiers, ordinateur, téléphone, priorités contradictoires, contraintes multiples, transports, foule, cartable, perte de temps dans les transports, faire les courses, sac, costume, cravate, manque de temps, agenda chargé
- **Flexibilité :** maison, prendre du temps pour ses enfants, horaires flexibles, s'organiser soi-même, télécommunication, temps libéré, nourriture, école, famille, déjeuner, terrasse, prendre un café, se ménager de la détente

B

Voici des légendes possibles :

1 Le travail à la maison : entre dossiers et enfants

2 La transition entre vie professionnelle et vie familiale

3 Le bonheur de la sortie des classes pour un papa

4 Savoir prendre le temps de déjeuner sans stress

Activité 1.1.2

A

La bonne définition est 3.

B

1–(e); 2–(a); 3–(f); 4–(b); 5–(c); 6–(d)

C

Idée de vitesse : 1, 3, 7, 8, 10

Idée de lenteur : 2, 4, 5, 6, 9

D

1 Faux. (Les Français ont l'impression d'avoir moins de temps : « le travail et les contraintes quotidiennes envahissent leur vie »)

2 Vrai.

3 Faux. (Les Français dorment moins : « on passe moins de temps au lit »)

4 Vrai.

5 Faux. (Les semaines ne sont pas nécessairement moins chargées : « les 35 heures ne sont pas forcément synonymes de semaine de travail allégée »)

6 Vrai.

7 Faux. (Les Français ne sont pas plus patients : « l'impatience nous grignote »)

8 Vrai.

9 Faux. (Les Français trouvent qu'il est difficile de faire la séparation : « la frontière entre boulot et vie personnelle est devenue une vraie passoire »)

10 Vrai.

Activité 1.1.3

A

Nom	Adjectif correspondant	Expression de fréquence
année	annuel	**une fois par an**
mois	mensuel	**une fois par mois**
semaine	hebdomadaire	**toutes les semaines**
jour	**quotidien**	quotidiennement/ tous les jours
heure	**horaire**	**chaque heure/ toutes les heures**
semestre	**semestriel**	**une fois par semestre**
quinzaine	bihebdomadaire	une fois par quinzaine/ une fois toutes les deux semaines
trimestre	**trimestriel**	quatre fois par an

B

Avoir quelque chose…	… à + infinitif
avoir les courses	à faire
avoir les enfants	à **emmener à l'école**
avoir des problèmes administratifs	à **régler**
avoir la correspondance électronique	à **écluser**
avoir un dossier	à **boucler**

C

Voici des réponses possibles :

1 J'ai le ménage à faire toutes les semaines.

2 J'ai du courrier administratif à écrire une fois par mois.

3 J'ai les vacances à réserver deux fois par an.

4 J'ai un roman passionnant à finir tous les soirs.

5 J'ai un repas à préparer pour des amis toutes les deux semaines.

Activité 1.1.4

Voici une réponse possible à la cinquième phrase (« J'ai de plus en plus de mal à trouver un bon équilibre entre ma vie privée et ma vie professionnelle ») :

> Je travaille à la maison. En me levant le matin, la première idée qui me vient à l'esprit est d'allumer l'ordinateur, pour lire ma correspondance électronique. Normalement, il y a un tas de messages de la part de mon chef de service.
> La plupart du temps, c'est pour me demander un travail qui aurait dû être complété la veille. C'est affreux. C'est une intrusion dans la vie familiale. Mon mari en a tellement assez qu'il a menacé de jeter l'ordinateur par la fenêtre.

Activité 1.1.5

A

1 drop; 2 carry on with; 3 a flood; 4 wind down; 5 have a break

B

Voici des phrases possibles :

1 La neige fond au soleil.

2 Autrefois on enchaînait souvent les prisonniers.

3 Quand il y a assez de vent, il y a des déferlantes sur cette plage, on peut y faire du surf.

4 Il est bon de débrancher vos appareils électriques quand vous partez en vacances.

5 Cet ordinateur ne marche pas parce qu'il est déconnecté.

Activité 1.1.6

1–(c) Comme pour beaucoup d'expressions figurées, ici le rapport entre l'image (poil dans la main) et la signification (paresseux) reste inexpliqué !

2–(e) L'expression vient du domaine de la logistique : on est à flux tendu lorsque l'on réduit les stocks et que l'on produit seulement en fonction de la demande, sans marge de manœuvre.

3–(a) Cette expression vient du domaine nautique, et simule l'appel de tous les matelots sur le pont du navire pour une manœuvre.

4–(f) Cette expression fait référence à un cycliste qui baisse la tête vers son guidon pour être plus aérodynamique et aller plus vite.

5–(b) Cette expression vient du domaine du tissage. Dans ce contexte le mot « métier » se traduit par *weaving loom*. L'ouvrage est l'objet que l'on tisse sur ce métier.

6–(d) Dans ce contexte le mot « collier » fait référence au harnais que l'on place autour de la tête d'un cheval. Un coup de collier c'est donc un coup de tête, pour avancer plus vite ou tirer plus fort.

Activité 1.1.7

Voici une réponse possible :

> Madame, Monsieur,
>
> J'ai lu votre article intitulé « La course contre le temps » avec intérêt, et je souhaite apporter un témoignage sur le sujet. Mon ami Thomas vient de subir un stress professionnel important. En raison de la maladie d'un collègue, il a dû assumer une charge de travail plus lourde que d'habitude. Ces difficultés professionnelles ont eu des répercussions sur sa vie personnelle, puisque sa famille s'est sentie sacrifiée au profit de son travail. Il a fini par prendre la décision de chercher un nouvel emploi qui lui laisse plus de temps pour les siens.
>
> D'où vient donc, au juste, ce sentiment de stress provenant de l'absence de temps que nous ressentons tous aujourd'hui ? À mon avis, ce n'est rien d'autre qu'une hallucination collective. C'est simplement que nos ambitions sont devenues démesurées. Il suffirait de les restreindre, pour retrouver le calme.
>
> Cordialement,
>
> G. De La Nuit

Activité 1.1.8

A

Voici des effets positifs des nouvelles technologies :

- elles améliorent la productivité
- elles facilitent l'accès à l'information
- elles remplacent des tâches manuelles
- elles favorisent le travail en réseau
- elles réduisent les temps morts

B

Voici une réponse possible :

Avantages	Inconvénients
Selon le texte : • meilleure maîtrise de la gestion du temps • choix d'habitation, souvent plus éloignée, donc moins chère **On peut aussi imaginer :** • moins d'interruptions, donc meilleur rendement • plus grande motivation au travail • travail dans la tranquillité • possibilité réduite de conflits avec les collègues • réduction des coûts de transport et du temps de déplacement • facilité accrue de concilier travail et responsabilités familiales	**On peut imaginer :** • risque de surtravail • problèmes d'isolement et manque de communication avec les collègues • période d'adaptation nécessaire au télétravail pour trouver son rythme • difficulté de remplacement lors de maladie • impossibilité d'ignorer le bruit ou l'agitation des autres membres de la famille • normes du milieu de travail (qualité des équipements, du bureau) non garanties • équipements à la charge du télétravailleur et usure du matériel informatique • risque pour la confidentialité • risque d'invasion de la vie privée par le travail

C

Voici une réponse possible :

> Le « mélange des genres » fait référence à la perte d'une distinction claire entre la vie privée et le travail, par exemple le fait que dans le télétravail, on doit parfois travailler pendant que les enfants sont à la maison, et qu'il faut donc jongler entre ses responsabilités familiales et professionnelles. À mon avis, la flexibilité du télétravail est une chose très positive, mais elle demande une très grande rigueur pour que la frontière entre famille et travail, qui n'est pas concrète dans cette situation, soit toujours respectée.

Activité 1.1.9

A

Voici un exemple de carte conceptuelle :

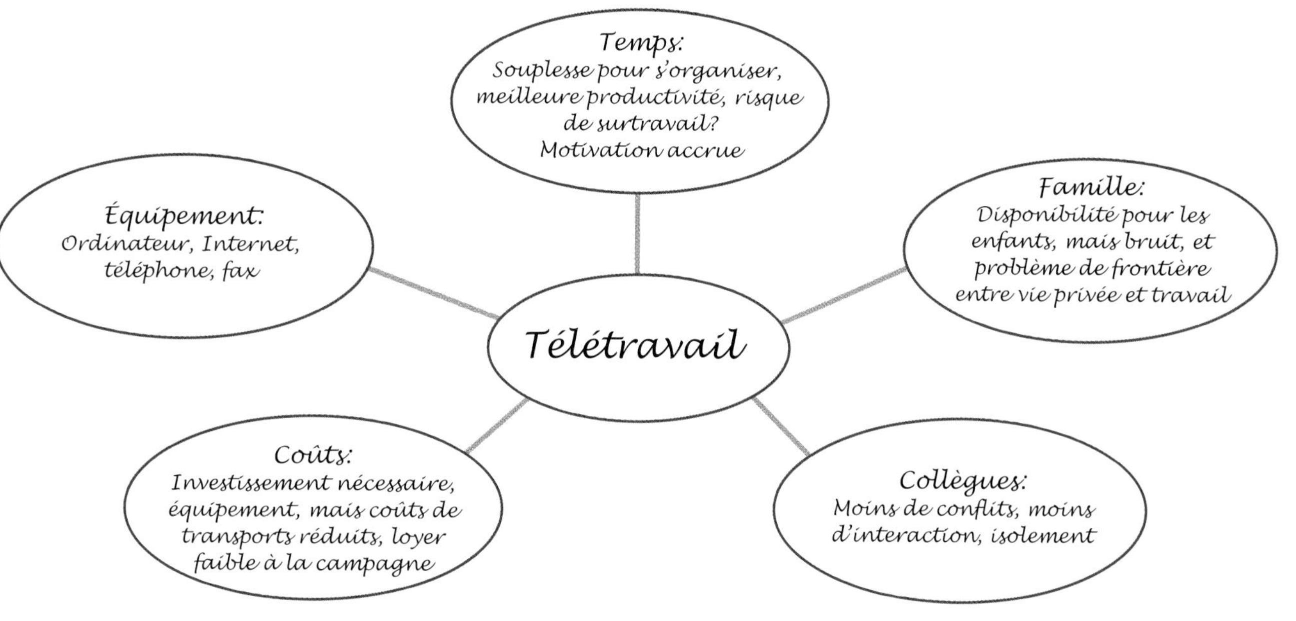

B

Voici une réponse possible :

> Pour moi, le grand avantage d'être devenu(e) télétravailleur/télétravailleuse, c'est que j'ai gagné beaucoup de temps, puisque je ne suis plus obligé(e) de passer deux heures par jour dans le train pour aller au travail. Et ces deux heures que j'ai gagnées, je peux les consacrer à ma famille et à moi-même. Le matin, j'accompagne maintenant mes deux enfants à l'école. À midi, je déjeune sans me presser. Et le soir, quand il fait beau, j'ai le temps de faire du jogging ou d'aller me promener avec les enfants. J'ai de plus en plus tendance aussi à préparer un bon repas pour toute la famille, au lieu de faire réchauffer un plat surgelé, par manque de temps.

Activité 1.1.10

Voici un exemple de lettre. Comparez-la à la vôtre et vérifiez que vous avez bien suivi le plan indiqué dans la question.

> Cher/chère Claude,
>
> Je viens de commencer un nouveau travail en tant que secrétaire de rédaction pour un journal régional, qui se spécialise dans les achats et les ventes immobiliers. Je fais du télétravail, ce qui veut dire que trois jours sur quatre, j'ai le droit de rester chez moi. Je m'occupe principalement de la correspondance des lecteurs et je rédige une colonne sur les tendances du marché immobilier dans notre département.
>
> Il faut beaucoup de discipline pour travailler chez soi, quand on a une famille. D'abord, je crois qu'il faut bien délimiter non seulement ses heures de travail mais aussi son espace de travail. Bien sûr, l'après midi je prends les enfants

à l'école, mais après ils savent qu'ils n'ont pas le droit de me déranger avant 17 heures. J'ai aménagé un bureau dans le grenier, et là on me laisse tranquille.

Pourtant, une fois la journée de travail finie, me voilà, sur place, et disponible. Ce n'est pas une exagération de dire qu'avec la découverte du télétravail, j'ai aussi retrouvé ma famille.

Amicalement,

Dominique

Activité 1.1.11

A

1 Faux. (Ce n'est pas un avantage pour les salariés : « Les conditions de travail des salariés se dégradent non seulement du point de vue des horaires mais également des salaires »)

2 Faux. (Ils ont des intérêts différents : « Le fait est que l'on dissocie les salariés des consommateurs »)

3 Vrai.

4 Vrai.

5 Vrai.

B

Pour : Viviana, Pamplemousse

Contre : Léonie Jolie, Martial Lesueur

Activité 1.1.12

Voici une réponse possible :

> Je suis favorable à l'ouverture des magasins le dimanche, mais à certaines conditions. Je suis d'accord avec le fait que pour certains salariés, cela peut constituer une contrainte incompatible avec leur vie personnelle. Mais pour d'autres c'est une souplesse qui leur convient, et ils sont d'accord pour travailler le soir ou le dimanche. Et pour les consommateurs, c'est un avantage certain : moi je travaille toute la semaine, et c'est bien le samedi et le dimanche que j'ai le temps d'aller faire des courses. Il faut donc à mon avis trouver un compromis. Peut-être que l'ouverture des magasins le dimanche doit être autorisée dans les cas où les travailleurs sont pour. Bien sûr il est important de protéger leurs droits, et il faut donc que les gens qui travaillent le dimanche trouvent des compensations, en temps et en salaire. Et il faut s'assurer que les salariés qui ne peuvent pas travailler le dimanche ne subissent pas de pressions.

Session 2

Activité 1.2.1

Voici des activités évoquées par les photos :

1 la randonnée/la marche

2 une visite de musée/de galerie d'art

3 la lecture

4 la couture/le tricot

5 le jardinage

6 la natation/le sport

Activité 1.2.2

A

Voici une réponse possible :

1 se reposer, dormir

2 s'occuper de sa famille et de ses enfants ; faire des courses ; accomplir des tâches ménagères

3 bricoler, jardiner ; recevoir des amis, de la famille ; regarder la télévision ; sortir au cinéma, au restaurant, au spectacle ; faire du sport ; avoir des activités artistiques ; s'investir dans une association

B

Voici des réactions possibles aux premier et cinquième points :

1 Je pense qu'il est inquiétant que les gens préfèrent se reposer et dormir car cela veut dire qu'ils s'occupent surtout de façon passive, pas active.

5 Je crois que le cinquième point révèle une différence entre les sociétés française et britannique ; en Grande-Bretagne, beaucoup de gens s'investissent dans des associations caritatives. En France, moins.

C

1 La pratique des loisirs a tant augmenté dans les dix dernières années parce que les Français disposent en moyenne de 39 jours de congés payés par an.

2 Les Français dépensent leur budget loisirs pour le bricolage, le jardinage, les livres, les voyages, les médias et les jeux électroniques, ainsi que dans les casinos.

D

Voici une réponse possible :

> Il me semble qu'il y a une contradiction entre le texte et le tableau. Le texte annonce l'essor des loisirs, mais d'après le tableau les Français passent surtout leur temps libre à se reposer et à s'occuper de leur famille, alors que ce ne sont pas tout à fait des loisirs.

Activité 1.2.3

A

1–(c); 2–(a); 3–(b); 4–(d)

B

1 Faux. (Les Français consacrent moins de 20% de leur budget loisirs aux voyages)

2 Vrai.

3 Faux. (Moins de 15% des Français partent en vacances à la montagne)

4 Vrai.

5 Vrai.

Activité 1.2.4

Chaque phrase peut être reformulée de plusieurs façons différentes. Voici une réponse possible pour chaque :

1 **La moitié des Français** sont amateurs de jeux vidéo.

2 **Environ quatre Français sur dix** ne lisent aucun livre.

3 **La majorité des Français** ne séjournent jamais en dehors de l'Hexagone.

4 **Plus d'un tiers des Français** pratique le cyclisme.

5 **Un faible pourcentage** des Français pratiquent la gymnastique.

6 **Quasiment 50% des travailleurs** partent en vacances chaque année.

7 **La plus grande partie des Français** qui partent en vacances à l'étranger choisissent l'Espagne.

8 **Un tiers des Français** choisissent leurs vacances au dernier moment.

Activité 1.2.5

A

L'activité culturelle la plus pratiquée en France en 2006 était de regarder la télévision et l'activité la moins pratiquée était d'aller au théâtre.

B

Voici des réponses possibles :

1 L'activité « écouter de la musique » **a** fortement **augmenté** entre 1979 et 2006.

2 La fréquentation des théâtres **a diminué** en 2006 par rapport à 1979.

3 La proportion de gens qui aiment lire des livres **est restée stable**.

4 L'activité « regarder la télévision » **est passée de** 54% **à** 59% d'adeptes.

5 La réponse « aller au cinéma » **a varié** entre 1979 et 2006, de 27% à 33%.

Activité 1.2.6

Voici des phrases possibles :

1 Cinquante-trois pour cent des Français qui restent en France pour leurs vacances d'été vont à la mer.

2 Presque personne ne part en circuit (organisé ou non) en France.

3 Environ un tiers des vacanciers partent à la campagne, que ça soit en France ou à l'étranger.

4 Deux Français sur dix qui restent en France vont à la montagne.

5 La majorité des Français choisissent leur destination parce qu'ils en sont originaires ou qu'ils y ont de la famille.

6 La deuxième raison du choix des vacances est le climat, surtout pour les départs à l'étranger.

7 Le travail pour une association et la protection de l'environnement sont les raisons qui ont le moins d'influence sur le choix des vacances des Français.

8 Cinq pour cent des départs en France se font vers une résidence secondaire.

Activité 1.2.7

1 Le mois d'août, parce que c'est la période pendant laquelle la majorité des Français partent en vacances.

2 La présence de la mer (« de l'eau ») et qu'on y parle français.

3 Ce sont des pays où l'on parle le français ou bien une langue proche du français (« une langue latine »).

4 Le fait qu'on y parle français, et le fait que la France est un pays géographiquement varié, qui offre « tout ce qui peut combler un vacancier ».

5 La côte Atlantique, la côte d'Azur, et la Provence.

6 C'est la période du retour des vacances (début septembre). Elle signale le retour à l'école pour les enfants, et au travail pour les adultes.

Activité 1.2.8

A

C'est le deuxième résumé qui est correct.

B

Tendances traditionnelles : 2, 3, 4

Nouvelles tendances : 1, 5, 6

C

1 Les Français prendront plus de vacances plus courtes à plusieurs moments de l'année, au lieu de prendre des vacances longues en une fois, l'été. Et ils conjugueront de plus en plus vacances et projets professionnels.

2 Les Français restent surtout en France, et rendent souvent visite à leur famille et à leurs amis. Ils possèdent souvent des résidences secondaires, une pratique considérée comme normale. Les Allemands préfèrent voyager à l'étranger. Ils achètent rarement des résidences secondaires car cette idée est mal vue.

Activité 1.2.9

A

1 Vrai.

2 Vrai.

3 Faux. (La réduction du temps de travail a valorisé les activités associatives : « La disponibilité accrue ... ouvre également de larges perspectives ... dans la vie civique, associative, sportive ou culturelle, qui se trouvent de fait valorisées et de plus en plus porteuses d'identité »)

4 Vrai.

5 Faux. (La réduction progressive du temps de travail est un phénomène de longue durée : « La diminution du temps de travail est une tendance historique observable tout au long du 20e siècle »)

B

Voici un commentaire possible :

> Pour la vaste majorité des Français, la réduction du temps de travail a été une expérience tout à fait positive. D'abord, parce qu'ils travaillent moins ou qu'ils travaillent de manière différente, les gens sont moins fatigués et moins stressés. Ils ont plus de temps les uns pour les autres, que ce soit au sein de leur famille, ou dans la vie associative. En général ils passent plus de temps avec leur conjoint et leurs enfants, voire leurs petits-enfants, et ils sont de plus en plus nombreux à avoir trouvé un équilibre personnel. Ils ont la liberté de poursuivre leurs intérêts, et même leurs passions, et d'essayer des loisirs nouveaux. Pour la société, le grand avantage a été un rehaussement de l'esprit communautaire, un raffermissement du sentiment de solidarité, car même s'il est encore faible, l'investissement des Français dans des associations a augmenté.

Activité 1.2.10

A

Ma vie avant les 35h	Ma vie après les 35h
• Je n'avais jamais de temps • J'étais moins en forme • J'étais plus fatiguée • La maison passait au second plan	• J'ai plus de loisirs • J'ai plus de flexibilité dans l'organisation de mon travail • Je me suis inscrite à un club de voile • Je me suis remise à aller au ciné • Je peux m'occuper des enfants de ma sœur • Je m'occupe davantage de ma maison

B

Les phrases à identifier étaient :

1 Je me suis inscrite à un club de voile **il y a** environ cinq ans.

Il y a maintenant bientôt deux ans **que** je les garde tous les mercredis.

2 **Cela fait** maintenant près de huit ans **que** mon entreprise a décidé de passer aux 35 heures.

Cela fait aussi environ cinq ans **que** je me suis remise à aller au ciné...

3 **Depuis que** je travaille moins d'heures par semaine, je peux aussi m'occuper des enfants...

Depuis que j'ai réduit mes horaires, je m'occupe davantage de la maison.

Depuis que je ne travaille pas autant, j'ai l'impression que...

Remarquez que ces expressions peuvent être accompagnées soit du verbe au présent soit du verbe au passé composé, selon le contexte.

Activité 1.2.11

1 vais ; 2 est parti ; 3 fais ; 4 a arrêté ; 5 consacre

Activité 1.2.12

Voici une réponse possible :

> Ça fait deux ans que l'entreprise Dupanloup, où je travaille depuis une vingtaine d'années comme technicien, est passée aux 35 heures. C'est un moment qui a mené à de grands changements dans ma vie. Avant, je travaillais six jours par semaine et je faisais souvent des heures supplémentaires. Le soir, je rentrais assez tard et j'étais toujours fatigué. Normalement, en arrivant chez moi, je me plantais devant la télé. Même le dimanche, je n'arrivais pas à avoir une véritable conversation, ni avec ma compagne ni avec nos deux enfants. Parfois, on allait voir des amis ou on faisait des promenades, mais je me sentais toujours sous pression.
>
> Au début, la réduction du temps de travail m'a rendu un peu nerveux. Je croyais que j'allais gagner moins d'argent et que la famille me le reprocherait. En réalité, on a gagné beaucoup en qualité de vie. D'abord on est beaucoup plus détendus. On a le temps de se parler. De plus, ma compagne et moi nous sommes organisés pour avoir le vendredi de libre. Nous avons donc une journée par semaine entièrement à nous deux, ce qui nous a permis de nous redécouvrir. Ça nous a beaucoup rajeunis. Nous nous sommes découvert une passion pour le jardinage et depuis un an nous cultivons nous-mêmes nos légumes. Une fois par mois nous partons faire du camping avec les enfants le week-end.

Session 3

Activité 1.3.1

A

Voici trois légendes possibles :

1 Une mission éducative à l'étranger

2 L'achat d'une maison de campagne

3 L'arrivée d'un bébé

B

Voici des exemples possibles :

- domaines religieux ou humanitaire :
  - changer de religion/se convertir à une religion

- travailler dans le bénévolat/faire du bénévolat pour des organismes de charité, pour la défense de l'environnement ou pour une cause humanitaire
- aller faire une mission dans un pays pauvre

- domaine professionnel :
  - changer de métier
  - se recycler
  - apprendre une langue étrangère pour s'expatrier
  - aller travailler à l'étranger
  - monter sa propre entreprise
  - prendre sa retraite anticipée
- domaine géographique :
  - déménager
  - s'installer à la campagne
  - aller habiter à l'étranger
- domaine personnel :
  - s'arrêter de travailler
  - diminuer ses horaires de travail
  - avoir/adopter des enfants
  - se marier

C

Voici une réponse possible :

> Moi, je voudrais aller m'installer à la campagne, pour vivre près de la nature, et de mes vieux parents. Je voudrais un grand jardin et je pourrais cultiver mes légumes.

Activité 1.3.2

A

1 Faux. (Ils s'intéressent plutôt à l'écologie et la spiritualité : « Férus d'écologie autant que de spiritualité, rêvant d'un monde meilleur... »)

2 Faux. (Ce sont les babas qui sont allés vivre dans le Larzac : « ... sans pour autant fuir dans le Larzac, à la façon des babas des années 1970 »)

3 Vrai.

4 Faux. (Tristan Lecomte dit : « ... et sans me reconnaître dans le mouvement altermondialiste »)

5 Vrai.

B

	Avant	Maintenant
Jean-Louis Grimaldi	était frimeur à Miami, dépensait beaucoup d'argent	bouddhiste et traiteur bio
Elisabeth Laville	avait une place importante dans une entreprise, faisait des audits	travaille dans le développement durable
Tristan Lecomte	avait fait des hautes études commerciales	il a sa propre société qui vit du commerce équitable

C

1 Ils sont passionnés d'écologie et de tout ce qui s'y rapporte (développement durable et commerce équitable).

2 Ils accordent de l'importance à la spiritualité, à la place des femmes dans la société, au multiculturalisme, à la solidarité, et au pacifisme.

3 Ils sont consommateurs de produits bio, d'alimentation saine et de médecines douces.

4 Ils aspirent à créer un monde meilleur.

D

1, 3, 4, 5, 6, 8, 10, 12

E

1 être à l'avant-garde du changement

2 quitte à changer de vie

3 lâcher tout

4 réinventer le monde

5 transformer la société

6 fomenter une révolution

7 vouloir changer le monde

Voici d'autres expressions possibles :

- se recycler
- se reconvertir
- changer de cap
- prendre un nouveau départ/un nouveau tournant
- se remettre en question
- sauter le pas

Activité 1.3.3

A

1–(b); 2–(c); 3–(a)

B

1 vous avez le sens des contacts

2 la rémunération

3 une lettre de motivation

4 un diplôme

5 chargé de

6 organisé(e)

7 une parfaite maîtrise

8 un atout

9 polyvalent(e)

10 autonome

C

1 elle a été embauchée à plein temps

2 des candidatures spontanées

3 faire du bénévolat

4 elle est au chômage

5 l'entreprise a fait faillite

6 elle fait de l'intérim

7 la formation requise

8 obtenir une promotion

9 il gère une équipe

10 se recycler

D

Voici une réponse possible :

> L'entreprise où je gérais une équipe de dix personnes a cessé son activité, et je suis maintenant au chômage. J'ai envoyé des candidatures spontanées un peu partout mais en vain. J'ai un diplôme en commerce international et je maîtrise parfaitement l'anglais et le japonais.
> Je suis polyvalent(e) et j'ai le sens des contacts. Mes langues étrangères sont un atout, je suis prêt(e) à partir travailler à

l'étranger. J'espère retrouver un contrat, mais en attendant je fais du travail bénévole pour une association de défense de l'environnement et je m'épanouis dans le milieu associatif.

Activité 1.3.4

A

Le CV répond à l'annonce 3.

B

1 formule de début de lettre

6 introduction

4 qualifications et expériences

2 compétences et atouts

7 motivations (projet professionnel)

3 conclusion

5 formule de politesse

Activité 1.3.5

Voici un exemple de lettre en réponse à l'annonce 3 :

> Monsieur/Madame,
>
> Je désire poser ma candidature pour le poste de secrétaire, paru dans *Terre et Nature* du 15 septembre.
>
> Je suis vivement intéressé(e) car je pense correspondre à ce que vous recherchez. Comme vous le verrez dans mon curriculum vitae ci-joint, j'ai rempli les fonctions de secrétaire ainsi que celles d'informaticien(ne) dans les deux sociétés pour lesquelles j'ai travaillé. J'ai de plus acquis une grande expérience du travail en groupe et en équipe, grâce à mes activités professionnelles et bénévoles.
>
> Je crois être dynamique et enthousiaste. J'ai un bon contact avec les gens et je pense pouvoir comprendre le public de chômeurs de longue durée, m'étant moi-même retrouvé(e) sans emploi à mon retour d'Afrique en 2008. Je crois également que le fait d'avoir vécu et travaillé dans un pays étranger m'a rendu(e) plus adaptable.
>
> Mes connaissances en comptabilité pourraient, je pense, être un atout supplémentaire.
>
> Je suis particulièrement attiré(e) par la possibilité de travailler pour une association car je suis plus motivé(e) par la qualité du travail et des relations avec mes collègues que par une ambition personnelle ou des considérations purement financières.
>
> Je vous remercie de l'intérêt que vous prendrez à ma candidature et me tiens, bien sûr, à votre disposition pour tout complément d'information ou pour un éventuel entretien.
>
> Je vous prie de recevoir, Monsieur ou Madame, l'expression de mes plus sincères salutations.

Activité 1.3.6

A

1 Il est en constante augmentation.

2 Les deux.

3 Ceux qui veulent plus d'espace avec une piscine (« la société barbecue ») et ceux qui fuient la ville aux loyers trop chers.

4 Le développement des transports, le développement d'Internet, le prix bas des propriétés en zones rurales.

5 Les citadins veulent retourner à la campagne pour retrouver leurs origines, leurs racines, et un peu leur identité.

6 Cela crée parfois des tensions. Les villageois se sentent envahis.

B

1, 4, 5, 8

Activité 1.3.7

A

Voici des réponses possibles :

- esprit libre
- travail dans le calme
- moins de stress
- horaires plus réguliers
- loin de la pollution
- loin de la délinquance

B

Voici des réponses possibles :

- il n'y a rien
- pas d'infrastructures pour les sports modernes
- pas de cinémas
- pas de distributeurs (billets ou préservatifs)
- pas d'activités culturelles
- pas de commerces ou restaurants nouvelles tendances
- pas d'activités pour les jeunes
- pas de transports en commun

C

Voici une réponse possible d'une personne qui est plutôt contre :

> Je pense que les néoruraux quittent les villes parce qu'ils veulent changer de vie, parce qu'ils ne sont pas heureux. La néoruralité est une hypocrisie, car ces personnes emportent avec eux leur voiture et leurs besoins de citadins. Certes, on a une meilleure qualité de vie à la campagne mais on reste très isolés. De plus, on envahit les petits villages et la campagne finalement perd de son charme et n'est plus aussi agréable. Je préfère aller me promener quand j'ai besoin de prendre l'air. Je préfère être en ville pour avoir accès facilement aux infrastructures sportives et culturelles.

Activité 1.3.8

A

- a eu
- a loué
- est partis
- attendait
- a tendu

B

Point d'intérêt central : on a eu marre ; on a loué ; on est partis ; il a tendu

Cadre descriptif : Monsieur Henri attendait

Activité 1.3.9

> « Nous **avons claqué** la porte à la vie parisienne », se rappelle Frank Jouberton. « Nous **avions** besoin de nature, d'air frais, de balades. [...] Nous **nous sommes** totalement **remis** en question. Tous les deux à l'ANPE, parents de deux enfants, nous **avons vécu** des moments durs. Face à la difficulté de trouver un nouvel emploi dans le luxe, nous **avons** finalement **choisi** de partir à Rochefort, en Charente-Maritime, une région que nous **connaissions** très bien pour y avoir passé de nombreuses vacances. Un de nos amis sur place nous **a proposé** de nous associer pour le rachat d'une agence immobilière. Comme nous **avions** quelques notions en la matière, nous **avons fait** le grand saut. Nous **avons investi** toutes nos économies et contracté un prêt. »

Activité 1.3.10

Voici une réponse possible :

> Cléa est née dans un petit village, en Bourgogne. Elle est allée à l'école du village jusqu'au lycée. C'était une petite fille heureuse, elle avait beaucoup d'amies. Elle a obtenu son bac en 1984. Elle est partie pour Toulouse pour étudier un BTS en commerce international. C'était une grande ville, elle a eu des difficultés pour s'y adapter. Elle se sentait souvent isolée. Tous les week-ends elle rentrait chez elle en train. Elle a quand même obtenu son BTS avec succès. Elle a trouvé son premier travail à Paris. Elle a rencontré son mari, qui travaillait dans la même entreprise. Ils ont vécu ensemble pendant près de dix ans puis ils se sont mariés. Leur enfant est né un an plus tard, mais leur appartement à Paris était trop petit. Alors, ils ont décidé de déménager, et ils sont retournés en Bourgogne pour s'installer au vert. Ils ont acheté une maison. Ils ont décidé de monter leur propre entreprise de vente de produits du terroir par Internet. Ils ont démarré ce projet il y a trois ans. Au début ils ont eu des difficultés car ils avaient peu de notions en la matière. Ils ont suivi une formation à distance. Maintenant, l'entreprise marche très bien et leur vie s'est beaucoup améliorée.

Activité 1.3.11

Voici une réponse possible :

> Je pense que cette citation veut dire qu'il faut essayer d'être heureux dans la vie. Il faut profiter de la vie et ne pas perdre son temps et s'arrêter à des détails ou à essayer de gagner toujours de plus en plus d'argent. Le jeu de mots « perdre sa vie à la gagner » renforce l'idée que le temps passe vite et que si on passe tout son temps à essayer de gagner le plus d'argent possible, on finira par perdre du temps précieux. Cela veut dire, je pense, que si on a pour but de gravir les échelons pour gagner plus d'argent ou pour avoir une meilleure position sociale, on risque de passer à côté de choses importantes comme le temps passé avec la famille et les amis. La qualité de vie n'est pas liée à la situation matérielle, mais à la qualité des rapports humains. Les nouvelles tribus, auxquelles je suppose que j'appartiens, revendiquent dans un certain sens cette qualité de vie pour eux mais aussi pour tous les gens qui vivent sur cette planète. Quand on était jeune on voulait « refaire le monde », mais on ne faisait que discuter et rêver d'idéaux. Aujourd'hui, on est davantage engagés pour « changer le monde », simplement dans nos comportements et actes quotidiens.

Session 4

Activité 1.4.1

A

1–(a); 2–(e); 3–(f); 4–(b); 5–(d); 6–(c)

B

Voici une réponse possible :

> Pour me détendre, je fais du yoga et je vais à la piscine. Le sport est un bon moyen pour moi de me ressourcer. Deux fois par an, je passe une journée dans un centre de thalassothérapie pour avoir des massages et des soins en hydrothérapie. Cela me procure un bien-être intérieur immense.

Activité 1.4.2

A

Le thème commun est la thalassothérapie.

B

Le premier texte semble plus sérieux.

Voici une explication possible :

> C'est un texte à caractère informatif/ instructif. Il fournit une liste de faits et données qui renseigne le lecteur, mais qui n'essaie pas de l'influencer. Le texte reste neutre.

NB Ce texte est extrait d'un ouvrage écrit par le sociologue Gérard Mermet qui base ses publications sur diverses enquêtes et études menées auprès de la population française.

C

1 C'est un texte à caractère publicitaire qui essaie d'attirer l'attention du lecteur. Il ne fournit pas autant d'informations que le texte de *Francoscopie*. Il se concentre plutôt sur ce que proposent les différents centres de thalasso.

NB Ce texte est extrait du magazine, *Le Figaro Madame*, et s'adresse donc à un public essentiellement féminin, considéré (par certains !) comme susceptible d'être influencé par ce genre d'article et sûrement en quête de repos, remise en forme et autres moyens de prendre soin de soi.

D

Texte de *Francoscopie*	Texte du *Figaro Madame*
Le stress, le surmenage, le désir de mincir sont les principales motivations des curistes.	Une cure minceur sur mesure ? Une parenthèse antistress ? Un week-end relaxant en couple ?
Les Français profitent de leur temps libre pour entretenir leur santé.	Une parenthèse antistress du mardi au jeudi ? Un week-end relaxant en couple ? Juste quatre jours, le temps d'un City break pour recharger les batteries.
De curatifs, les séjours ont tendance à devenir préventifs.	Sport, nutrition, techniques antistress... Une vraie mise au point pour retrouver la ligne, l'énergie, l'estime de soi... Des conférences sur le stress, la nutrition et des stratégies de « mieux-vivre ».
Pour répondre aux demandes nouvelles, les centres ont diversifié leur offre ... et proposent des activités de toute nature.	... de nombreux instituts se rénovent de fond en comble... La Thalassothérapie de Carnac ouvrira un spa marin... ... la nouvelle cure Spa coaching sur 5 jours.

E

1, 3, 5, 6

De manière générale, le texte insiste sur les soins proposés, le décor, l'esthétique et l'exotisme pour attirer le lecteur. L'article ne donne pas de données sociologiques ni de faits scientifiques. Le texte dit au lecteur ce dont il a besoin. Le choix du vocabulaire attire le lecteur qui est encouragé à penser que les formules proposées dans les instituts sont faites spécialement pour lui.

Activité 1.4.3

A

leader ; stress ; week-end ; coaching ; Internet ; sport ; high-tech ; cosy ; relooking ; fitness ; City break ; management ; manager

B

- **le leader** le chef d'équipe, ou le chef de groupe
- **le stress** la tension nerveuse
- **le week-end** la fin de semaine (mais cette dernière expression est peu utilisée)
- **le coaching** l'entraînement (dans le domaine du sport), le conseil professionnel (dans le domaine de l'entreprise)
- **l'Internet** terme utilisé sans équivalent français
- **le sport** terme utilisé sans équivalent français
- **le high-tech** pour haute technologie (mais il n'y a pas de mots français équivalent)
- **cosy** confortable, agréable
- **le relooking** terme de franglais contesté (mais « relooker » se trouve dans certains dictionnaires : « relooker – moderniser, modifier ». À noter que les Français utilisent le mot anglais *look* au lieu des mots français « air » ou « apparence ».)
- **la fitness** les activités de remise en forme comme la musculation ou la gymnastique (le terme anglais est surtout utilisé dans la publicité)
- **le break** un moment de repos, une pause, une coupure (au travail)
- **le management** la direction ou la gestion
- **le manager** le dirigeant d'entreprise, le cadre (notez l'orthographe française : un manageur, une manageuse)

Activité 1.4.4

A

1 relooking *modification, adaptation, modernisation*

2 recharger les batteries *to recharge your batteries*

3 retrouver la ligne *to get your figure back*

Vous avez peut-être aussi trouvé « se rénover » (*to undergo refurbishment*).

B

Voici quelques exemples de mots qui commencent avec le préfixe « sur- » :

- suralimentation *overfeeding*
- surencombrement *overcrowding (of streets), overloading (of telephone networks)*
- surexcité/survolté *overexcited*
- surnaturel *supernatural*
- suranné *outmoded, outdated*
- surarmement *excessive stock/stockpiling of weapons*

C

Voici quelques exemples de mots qui commencent avec le préfixe « dé- » :

- déminéralisation *deficiency (in essential minerals)*

- déboiser *to deforest*
- décoloré *faded*
- décourager *to discourage*
- désarmé *unarmed*
- désordre *untidiness*

À noter que « dé- » devient « dés- » devant une voyelle.

Activité 1.4.5

Verbes	Noms correspondants (et genre)
régresser	régression (f.)
développer	**développement** (m.)
surmener	**surmenage** (m.)
motiver	**motivation** (f.)
traiter	**traitement** (m.)
amaigrir	**amaigrissement** (m.)
fréquenter	**fréquentation** (f.)
héberger	**hébergement** (m.)

Les noms qui se terminent par « -ion » ou « -tion » sont féminins.

Les noms qui se terminent par « -ment » ou « -age » sont masculins.

Activité 1.4.6

A

1–(c) *I can't get into the part.*

2–(d) *I don't feel at ease.*

3–(a) *I'm crazy about him/her.*

4–(b) *I wouldn't want to be in his/her shoes.*

B

1 *Don't count your chickens before they're hatched.*

2 *Charity begins at home.*

3 *Every cloud has a silver lining.*

Activité 1.4.7

A

1–(b); 2–(c); 3–(d); 4–(e); 5–(a)

B

- marcheurs
- randonneurs
- aventuriers
- promeneurs

C

Yves Paccalet, botaniste	• bienfaits évidents pour la santé • un fabuleux moyen de se réapproprier son corps • un sentiment d'harmonie entre physique et mental • un état de plénitude
Jacques Lanzmann, écrivain et parolier	• retrouver son instinct primitif • équilibre mental et physique
Priscilla Telmon, voyageuse et réalisatrice de documentaires	• permet d'accéder à une certaine clairvoyance • réconcilier esprit, âme, corps
Delphine Choquet, assistante de direction dans le Sud-Ouest	• le meilleur moyen de découvrir un pays, ses habitants, sa culture, sa langue, sa cuisine • permet de partager ses émotions

D

Les mots à identifier sont :

1 enfantin

2 déroutantes

3 boisson

4 certitude

Activité 1.4.8

Voici une réponse possible :

> J'aime cette sensation d'être tout en haut. J'ai l'impression d'être sur le point de toucher le ciel. Cette ascension m'a procuré un plaisir immense. Ici je ressens une impression de liberté.

Activité 1.4.9

A

Voici une réponse possible :

- La consommation de produits bio divers ne cesse d'augmenter.
- Les Français recherchent avant tout ce qui est bon pour leur santé, et ils sont soucieux de manger des produits sains, naturels et authentiques.
- Les produits bio sont largement disponibles, mais sont-ils vraiment meilleurs pour la santé ?

B

Voici deux réponses possibles :

- Je consomme des produits bio de temps en temps, surtout les fruits et légumes et le pain. Je ne trouve pas de goût très différent mais je pense qu'ils sont meilleurs pour la santé.
- Je suis totalement contre la consommation des produits bio car ils sont trop chers. C'est un argument de marketing qui n'a pas de bienfaits pour la santé.

Activité 1.4.10

A

Les recommandations pour une bonne hygiène de vie sont :

- manger équilibré
- varier les aliments
- boire beaucoup d'eau
- consommer des produits naturels
- retourner à la tradition
- cuisiner avec les produits régionaux et saisonniers
- ne pas grignoter entre les repas
- manger trois à quatre repas légers dans la journée
- boire des tisanes
- faire de l'exercice
- marcher au moins 20 minutes par jour
- s'assurer que les produits bio sont estampillés par le logo vert et blanc
- les acheter dans les fermes ou sur les marchés

B

Les conseils sont tous exprimés par des verbes, comme suit :

- je conseillerais
- il faudrait
- je recommanderais
- vous devriez
- il vaudrait mieux
- vous pourriez
- il faut
- il est recommandé de
- je recommanderais
- vous devriez

Activité 1.4.11

A

Les blogueuses convaincues par les vertus du bio sont Babel et Clémentine.

B

- Je suis convaincue que…
- Je suis persuadé que…
- Je suis entièrement convertie !
- C'est ma conviction !

C

1 Cher Babel, vous **devriez** faire un test en aveugle, pour savoir si vraiment les produits bio ont un meilleur goût que les autres.

2 Salut Pluto, moi, je vous **conseillerais** de lire quelques articles scientifiques pour vous informer, avant de juger.

3 Chère Clémentine, vous **pourriez** peut-être mettre sur le blog un de vos menus préférés ?

4 Caspar, tout le monde **devrait** penser comme vous !

Activité 1.4.12

Voici une réponse possible pour recommander la troisième annonce :

Chère Claire-Marie,

Tu ne m'avais pas l'air très en forme la dernière fois que je t'ai vue. J'ai l'impression que tu as besoin de faire un break et d'aller te ressourcer. Je t'envoie le guide « remise en forme » que j'ai trouvé dans mon magazine de télévision, cela te donnera quelques idées.

Tu devrais faire une cure antistress dans un centre de thalassothérapie. Tu n'aimes pas prendre l'avion ; et la voltige, cela me semble un peu trop risqué pour toi. Quant à la marche, je suis certaine que cela te ferait du bien, mais marcher te provoque un sentiment d'ennui, alors ce ne serait pas très bénéfique. Un séjour en thalassothérapie me paraît être le meilleur moyen pour toi de décompresser. Tu pourrais passer des heures dans la piscine et découvrir tous les massages exotiques ! Tu devrais aussi aller discuter avec la diététicienne, elle pourrait te donner des conseils pour mieux t'alimenter. Je suis persuadée qu'elle te recommandera les produits bio, dont je ne cesse de te vanter les mérites.

Et puis, tu pourrais y aller avec Marc ? Je suis sûre qu'il en aurait bien besoin lui aussi !

Je voudrais tout savoir sur ton séjour dans ton prochain mèl !

Bisous,

Capucine

Acknowledgements

Grateful acknowledgement is made to the following sources for permission to reproduce material in this book:

Text

Pages 9–10: Vidali, A., 'La course contre le temps', L'Express, 21 February 2002, Groupe Le Figaro; *pages 15–16*: Mermet, G., Francoscopie 2007, Éditions Larousse; *page 18*: Bérangère, N., 'On va vers une déréglementation de la vie des gens', 10 January 2007, S.A.R.L Libération; *page 22*: 'Culture, loisirs : l'offre explose, le budget que nous y consacrons, aussi', Hors Série Capital, April 2007, Groupe Prisma Presse; *pages 28–29*: Greiner, A., 'Les grandes vacances', 10 August 2006, http://www.arte.tv; *pages 30–31*: 'Touristes "en quête de sens"', 10 August 2006, http://www.arte.tv; *pages 32–33*: 'Questions-réponses sur la réduction du temps de travail', Temps Réels, 3 December 2002, © Le Parti Socialiste; *page 39*: Pouliquen, K., 'Vous êtes peut-être un créatif culturel', L'Express, 30 April 2007, Groupe Le Figaro; *page 41*: 'Les bobos', © 2006 Renaud; *pages 46–47*: Négroni, A., 'L'exode des citadins à la campagne s'amplifie', Le Figaro, 12 May 2007, Groupe Le Figaro; *page 51*: Leclair, A., 'Frank et Christine: "Nous avons fait le grand saut"', Le Figaro, 12 May 2007, Groupe Le Figaro; *page 54*: Mermet, G., Francoscopie 2007, Éditions Larousse; *page 55*: Rogelet, A., 'Les nouvelles séductions de la thalassothérapie', Le Figaro, 8 March 2007, Groupe Le Figaro; *page 56*: Walter, H., 'Langue française terre d'accueil', publication de la Délégation générale à la langue française et aux langues de France, 2006, http://www.culture.gouv.fr/culture/dglf/garde.htm; *pages 60–61*: Robin, C., 'Marcher pour se (re)trouver', L'Express, 28 March 2007, Groupe Le Figaro.

Illustrations

Front cover: © Mbighin / Dreamstime.com

Page 5: © Alain Vialleton; *page 7*: © Alain Vialleton; *page 13*: © Blend Images / Alamy; *page 15*: © Marie-Noëlle Lamy; *page 20 (top right)*: © Annie Eardley; *page 20 (middle right)*: © Alain Vialleton; *page 20 (bottom right)*: © Elodie Vialleton; *page 21 (top left)*: © Marie-Georges Vialleton; *page 21 (middle left)*: © PHOVOIR / FCM Graphic / Alamy; *page 21 (bottom left)*: © Glow Images / Alamy; *page 21 (bottom right)*: 'Ce que les Français font du temps libéré par la RTT', Hors Série Capital, April 2007, Groupe Prisma Presse; *page 22*: 'Moins de dépenses pour les livres, plus pour les voyages et l'informatique', Hors Série Capital, April 2007, Groupe Prisma Presse; *page 23*: 'Évolution des destinations de vacances, 2004–2006', Direction du Tourisme, http://www.tourisme.gouv.fr; *page 23*: 'Deux Français sur trois partent en vacances', Hors Série Capital, April 2007, Groupe Prisma Presse; *page 23*: 'Vive le vélo... et la pétanque', Hors Série Capital, April 2007, Groupe Prisma Presse; *page 24*: © Elodie Vialleton; *page 26*: 'Parmi les choses suivantes, quelles sont celles que vous aimez le plus faire ?', TNS Sofres, 15 March 2006, http://www.tns-sofres.com; *pages 27–28*: Le Scouarnec, N. et al., 'Les intentions de départ des Français en été 2007', 26 May 2007, BVA Ministère Délégué au Tourisme; *page 29*: © Alain Vialleton; *page 32*: © Bob Pulker; *page 35*: © Bob Pulker; *page 37 (middle left)*: © Glow Images / Alamy; *page 37 (middle right)*: © Bernadette Vincent; *page 37 (bottom right)*: © John Ferro Sims / Alamy; *page 38*: © Cultura / Alamy; *page 40*: © Directphoto.org / Alamy; *page 41*: © Directphoto.org / Alamy; *page 45*: © Annette Faucher; *page 46*: © Helene Pulker; *page 47*: © Annette Faucher;